Mian Xiang
El arte chino de
la interpretación del rostro

Mian Xiang
El arte chino de
la interpretación del rostro

Mónica Koppel
y
Bruno Koppel

alamah TRADICIONES DE ORIENTE

alamah°

D. R. © 2008, Mónica Koppel y Bruno Koppel

De esta edición:
D. R. © Santillana Ediciones Generales, S.A. de C.V., 2008.
Av. Universidad 767, Col. del Valle.
México, 03100, D.F. Teléfono (55 52) 54 20 75 30
www.alamah.com.mx

Argentina
Av. Leandro N. Alem, 720
C1001AAP Buenos Aires
Tel. (54 114) 119 50 00
Fax (54 114) 912 74 40

Bolivia
Avda. Arce, 2333
La Paz
Tel. (591 2) 44 11 22
Fax (591 2) 44 22 08

Colombia
Calle 80, nº10-23
Bogotá
Tel. (57 1) 635 12 00
Fax (57 1) 236 93 82

Costa Rica
La Uruca
Del Edificio de Aviación Civil 200 m
al Oeste
San José de Costa Rica
Tel. (506) 220 42 42 y 220 47 70
Fax (506) 220 13 20

Chile
Dr. Aníbal Ariztía, 1444
Providencia
Santiago de Chile
Telf (56 2) 384 30 00
Fax (56 2) 384 30 60

Ecuador
Avda. Eloy Alfaro, N33-347 y Avda. 6
de Diciembre
Quito
Tel. (593 2) 244 66 56 y 244 21 54
Fax (593 2) 244 87 91

El Salvador
Siemens, 51
Zona Industrial Santa Elena
Antiguo Cuscatlan - La Libertad
Tel. (503) 2 505 89 y 2 289 89 20
Fax (503) 2 278 60 66

España
Torrelaguna, 60
28043 Madrid
Tel. (34 91) 744 90 60
Fax (34 91) 744 92 24

Estados Unidos
2105 NW 86th Avenue
Doral, FL 33122
Tel. (1 305) 591 95 22 y 591 22 32
Fax (1 305) 591 91 45

Guatemala
7ª avenida, 11-11
Zona nº 9
Guatemala CA
Tel. (502) 24 29 43 00
Fax (502) 24 29 43 43

Honduras
Colonia Tepeyac Contigua a Banco
Cuscatlan
Boulevard Juan Pablo, frente al Templo
Adventista 7º Día, Casa 1626
Tegucigalpa
Tel. (504) 239 98 84

México
Avda. Universidad, 767
Colonia del Valle
03100 México DF
Tel. (52 5) 554 20 75 30
Fax (52 5) 556 01 10 67

Panamá
Avda Juan Pablo II, nº 15. Apartado
Postal 863199, zona 7
Urbanización Industrial La Locería -
Ciudad de Panamá
Tel. (507) 260 09 45

Paraguay
Avda. Venezuela, 276
Entre Mariscal López y España
Asunción
Tel. y fax (595 21) 213 294 y 214 983

Perú
Avda. San Felipe, 731
Jesús María
Lima
Tel. (51 1) 218 10 14
Fax. (51 1) 463 39 86

Puerto Rico
Avenida Roosevelt, 1506
Guaynabo 00968
Puerto Rico
Tel. (1 787) 781 98 00
Fax (1 787) 782 61 49

República Dominicana
Juan Sánchez Ramírez, nº 9
Gazcue
Santo Domingo RD
Tel. (1809) 682 13 82 y 221 08 70
Fax (1809) 689 10 22

Uruguay
Constitución, 1889
11800 Montevideo
Uruguay
Tel. (598 2) 402 73 42 y 402 72 71
Fax (598 2) 401 51 86

Venezuela
Avda. Rómulo Gallegos
Edificio Zulia, 1º. Sector Monte Cristo.
Boleita Norte
Caracas
Tel. (58 212) 235 30 33
Fax (58 212) 239 10 51

Primera edición: abril de 2008
ISBN: 970-770-58-0356-7
D. R. © Diseño de cubierta: Víctor M. Ortíz Pelayo.
Diseño de interiores: Ma. Alejandra Romero Ibáñez.
Impreso en México.

Índice

Prólogo

Nuestro acercamiento al tema de Mian Xiang sucedió hace diez años, cuando conocimos a Lillian Garniér, norteamericana, descendiente de chinos, quien nos abordó en un congreso de Feng shui en Monterrey, California, para leer nuestro rostro. Aquella, fue una experiencia peculiar y magnética. Como buenos mexicanos, curiosos y con muchas ganas de aprender cosas nuevas iniciamos el estudio y la búsqueda de información sobre el tema.

En los cursos y seminarios que impartimos comenzamos a enseñar lo aprendido sobre Mian Xiang, tema que interesó sobremanera a los estudiantes de nuestra escuela, dicho interés nos llevó a escribir este libro, cuyo enfoque principal es el aspecto personal, impulsado por el Feng shui y la metafísica china. Se convirtió en un reto, fue una labor compleja de búsqueda de información retomada de nuestra constante práctica de las diversas teorías y escuelas de Feng shui y astrología china, desde las clásicas o tradicionales hasta las contemporáneas, y que enriquecimos con varios viajes a China donde conocimos a maestros de distintas posturas en linaje y conocimientos; necesitamos, además, profundizar en el estudio de la metafísica china y la historia de la cultura de aquel país, así descubrimos la gran sabiduría subyacente en todo lo anterior.

Concebir, visualizar y ubicar al ser humano dentro de un complejo todo que va desde lo más simple y cotidiano hasta lo más complicado y astrológico, a diferencia de nuestro punto de vista occidental, nos llevó a comprender que toda causa tiene un efecto y una resonancia que se refleja en la vida, en la salud, en nuestro destino y estilo de vida y en los resultados de nuestras búsquedas.

Este sistema de lectura e interpretación del rostro es diferente al que se conoce y aplica en Occidente, el sistema chino analiza la salud, el estado de vida y la fortaleza o debilidad de energía en el organismo; descifra el destino de una persona en su rostro, pronostica tendencias de enfermedades así como consecuencias, predice situaciones en el presente y futuro, convirtiéndose en una herramienta poderosa para quienes se interesan por mejorar su vida a través del autoanálisis, y del conocimiento e interpretación de los rasgos de quienes nos rodean para determinar en quién confiar, así como descubrir las intenciones y tendencias de comportamiento de las personas con las que nos relacionamos y convivimos.

Algunos definen este tipo de filosofía como creencia, otros lo llaman supercherías, lo ven con incredulidad y recelo; nosotros lo consideramos una herramienta que nos facilita las cosas, que permite conocer la esencia de quienes nos rodean y que nos lleva a descubrir los sentimientos y emociones de nuestros congéneres y nuestra propia tendencia de destino, reconociendo que las situaciones se pueden mejorar y el destino moldear si se mantiene el enfoque primordial

de nuestra misión: el bienestar del ser humano a través de mejorar su entorno y buscar armonía con el universo, con el mundo, con el hombre y el espíritu, siendo parte de un todo y fluyendo con él y con nuestra propia naturaleza.

面相

1

Mian Xiang

Mɪᴀɴ Xɪᴀɴɢ es el arte chino de lectura del rostro humano que es el aspecto más descriptivo de una persona si sabes como interpretarlo. Los maestros chinos afirman: "la cara nunca miente." Este arte explica cómo leer el carácter, la personalidad y la suerte de alguien a partir de su apariencia física. En Mian Xiang cada estructura o rasgo del rostro se analiza como un bloque individual que después se combina con cada análisis separado para llegar a una conclusión sobre el destino personal.

Al analizar el rostro, lo que está en el interior se manifiesta en el exterior.

Esta filosofía sostiene que la cara cambia de acuerdo con la mentalidad y los sentimientos; es decir, las experiencias y las diferentes situaciones que se viven dejan señales que evidencian miedos, emociones y reacciones típicas ocultas.

Nuestro destino puede mejorar a través de nuestros pensamientos y acciones y eso se reflejará en el rostro.

Esta filosofía es muy antigua; se asume como ciencia en la época del Emperador Amarillo (Huang Di) (2700-2150 a. C.). Comenzó a desarrollarse a partir de la observación de la apariencia: formas, líneas, estructura ósea, rasgos, coloración de la piel, movimientos, formas de hablar, tics y expresiones.

En la época de las dinastías imperiales, esta ciencia fue practicada por los estrategas chinos y los consejeros para guiar y aconsejar a los emperadores con respecto a las diversas personas con quienes trataban.

Actualmente, en Hong Kong, China, las empresas aplican esta filosofía para leer los rostros de sus candidatos o empleados.

Mian significa cara y Xiang fisonomía o apariencia. Es una filosofía considerada dentro de las Cinco Artes Chinas (Wu Shu).

En esta filosofía no sólo se analizan los rasgos faciales sino los gestos, las expresiones y los movimientos sutiles y constantes: el de los ojos, la sonrisa y el modo de hablar o expresarse.

Esta filosofía, además de identificar el carácter y comportamiento de una persona busca interpretar su suerte, destino, calidades, salud, tendencia de vida, matrimonio, relación familiar, relación con hijos, amigos y compañeros.

Este conocimiento te ayuda a tomar mejores decisiones y a conducir tu vida por diferentes caminos al poder interpretar en tu rostro la tendencia energética o de destino que se presenta.

陰 陽

2

Yin Yang
en el rostro

En filosofía china, todo parte del concepto de los polos opuestos y complementarios denominados Yin y Yang. El Yin es el principio de lo que se realiza o elabora en la tierra mientras que el Yang es el principio de lo que se realiza y elabora en el cielo. Son dos polos opuestos que se complementan e interactúan dándose vida uno al otro formando un ciclo constante.

Al aplicar este principio del Yin Yang en Mian Xiang se establece el lado izquierdo para el Yang (masculino) y el lado derecho para el Yin (femenino). El rostro de un hombre se empieza a leer a partir de su lado izquierdo, el de una mujer a partir de su lado derecho.

男左女右

HOMBRES IZQUIERDA/ MUJERES DERECHA

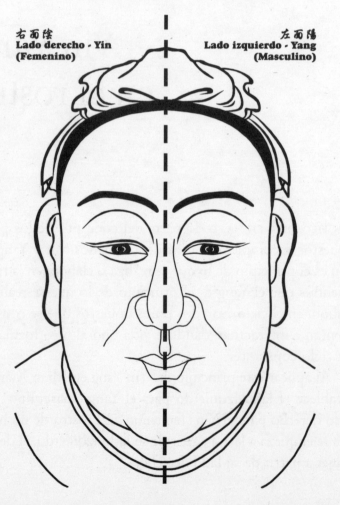

右面陰
Lado derecho - Yin
(Femenino)

左面陽
Lado izquierdo - Yang
(Masculino)

El chi es el término que se emplea en China para representar o describir la energía vital de todo lo existente en el universo. El chi se define como el aliento cósmico y se manifiesta como Yin y como Yang interactuando y complementándose mutuamente. El Yin se describe como la energía pasiva y el Yang como la energía activa.

Los seres humanos tenemos personalidades con tendencia Yin o Yang manifestadas en nuestras características físicas.

Los individuos con características Yin se describen como serios, creativos, flexibles, artísticos, de mentalidad abierta, pacientes, comprensivos, afectuosos, cariñosos, tiernos, amables, imaginativos, introvertidos. Cuando esta personalidad se ve influenciada por entornos o aspectos de tendencia Yin (estaciones del año, ambientes, alimentación, hábitos de vida) se puede sufrir un exceso de energía Yin, manifestándose indecisa, depresiva, insegura, temerosa, preocupada, pesimista, hipersensible.

Los individuos con características Yang son listos, concentrados, exactos, confiados, seguros de sí mismos, responsables, extrovertidos, expresivos, vivaces, alegres, impulsivos, decididos, competitivos. Cuando esta personalidad se ve influenciada por entornos o aspectos de tendencia Yang (estaciones del año, ambientes, alimentación, hábitos de vida) se puede sufrir un exceso de energía Yang manifestándose agresiva, impaciente, violenta, desesperada, poco tolerante, gritona, peleonera, tensa, estresada, hiperactiva, saturada, insensible, arrogante, nerviosa.

Las caras huesudas se asocian con la energía cósmica Yang.

Las caras carnosas se asocian con la energía cósmica Yin.

Lo que se considera ideal o recomendable es que la estructura ósea sea prominente suavizada por carne firme y piel suave ya que éstas características representan armonía entre las energías cósmicas Yin y Yang.

Algunos aspectos que pueden influir en el desarrollo de una tendencia más Yin son la tristeza, la televisión, el alcohol, el azúcar, los dulces, los helados, los postres, un estilo de vida más sedentaria, la humedad, el frío, la oscuridad, las drogas, los alimentos fríos y congelados, las frutas, los vegetales verdes.

Algunos aspectos que pueden influir en el desarrollo de una tendencia de comportamiento más Yang son la presión, el estrés, el exceso de actividades, el exceso de trabajo, la carne, los alimentos condimentados, la sal, la comida seca, la competencia laboral o social, el ejercicio, los viajes, la disciplina excesiva, los vegetales de raíz.

Es importante identificar si nuestra tendencia emocional y de comportamiento es más Yin o más Yang para balancearla a través del polo opuesto. Observar los rasgos de una persona nos permite establecer si es de tendencia Yin o Yang y nos permite elegir mejores caminos de comunicación ya que sabremos en qué términos tratarla. Por ejemplo, una persona de tendencia energética Yin se manifiesta tranquila y receptiva, dispuesta a escuchar y se comunica de manera profunda, racional y analítica. Gusta de desmenuzar las situaciones y analizar los beneficios cómodos y personales que obtendrá de una situación. Una personalidad Yin busca el sentirse cómoda, flexible y libre. Una personalidad de tendencia energética Yang se manifiesta activa, inquieta, rápida, no le gusta sentir que pierde el tiempo dándole vueltas a las situaciones y las conversaciones, toma decisiones rápidas y drásticas. Gusta de resolver las situaciones rápido y de ganar en toda competencia. Le atraen los retos y las ganancias importantes. Una personalidad Yang busca el sentirse importante, líder, admirada y dominante.

A continuación se presenta una tabla que nos permite diferenciar a partir de rasgos y características la tendencia más Yin o más Yang de una personalidad determinada, es importante establecer que todos tenemos ambas tendencias sólo que nos inclinamos hacia un esquema determinado.

	YIN	YANG
ROSTRO	alargado con estructura ósea delicada	redondo, cuadrado, estructura fuerte
CABELLO	fino, lacio, liso	pesado, rizado, ondulado
FRENTE	estrecha	ancha, cuadrada, con arrugas
CEJAS	arqueadas hacia abajo	rectas, arqueadas hacia arriba
ARRUGAS	pocas en el entrecejo	profundas y rectas en el entrecejo
OJOS	grandes y separados	pequeños y juntos
PÁRPADO INFERIOR	abultado	arrugas profundas
OREJAS	grandes	pequeñas
NARIZ	grande y de punta suave	pequeña y de punta firme
LABIOS	carnosos	delgados
MANDÍBULA	estrecha	fuerte

La cara se divide en dos hemisferios faciales denominado el corredor energético Yin Yang. Estos hemisferios se dividen, uno en Yin y el otro en Yang.

Creativo	Analítico
Intuitivo	Racional
Sensible	Material
Privado	Público
Emocional	Lógico

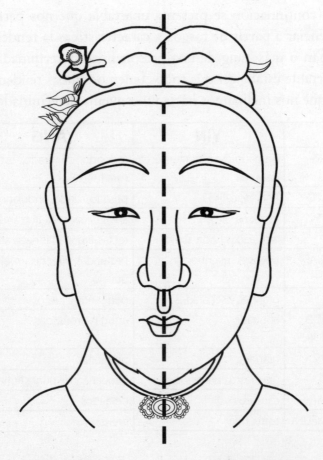

lado derecho
Como eres
realmente

lado izquierdo
Como quieres
ser percibido

El lado derecho o Yin del rostro se define como el lado femenino, refleja a la madre, la abuela, las hijas; es decir, los aspectos femeninos y sensibles de la persona. El lado izquierdo o Yang se define como el lado masculino, refleja al padre, el esposo el abuelo y los hijos, es decir, los aspectos racionales, analíticos y sociales de la persona. El lado derecho manifiesta los sentimientos, el izquierdo los pensamientos. La parte fuerte del carácter se define en el lado izquierdo, la parte emocional, sensible en el derecho.

En ambos hemisferios podemos definir la influencia recibida del padre y de la madre, así como las distintas figuras masculinas o femeninas en nuestra vida: hijos, hijas, abuelos, abuelas, esposo, esposa, amantes.

Una cara simétrica define a una persona honesta y abierta. Una cara asimétrica define a una persona deshonesta, tímida que busca esconder algo de sus sentimientos o emociones o de sus verdaderas intenciones. Si el lado asimétrico es el derecho se interpreta como una persona que esconde emociones y sentimientos; pero si es el izquierdo, se interpreta como alguien que esconde intenciones o aspectos de su carácter.

Una cara simétrica se interpreta como una persona equilibrada en su tendencia Yin Yang; es decir, no se inclina hacia los excesos. Maneja un buen balance y equilibrio de Yin y Yang por lo mismo se interpreta como una persona honesta que tiende a buscar el equilibrio.

Esta asimetría puede no ser solamente de la forma de la cara o el rostro, puede ser en alguno de los rasgos que forman el rostro. Es decir, un ojo con respecto a otro, los labios hacia un lado o el otro, la boca hacia un lado u otro, el mentón, las cejas o la nariz. Cada rasgo se asocia con diferentes aspectos que más adelante conoceremos, y se puede interpretar el desequilibrio o desbalance de ese rasgo como más Yin o más Yang según su asociación. Por ejemplo, los ojos se consideran los sentimientos, si el ojo derecho es más pequeño que el izquierdo y la asimetría es notoria, se interpreta como una persona que busca esconder y proteger sus sentimientos. Si el caso es contrario, y el ojo pequeño es el izquierdo, la persona busca esconder y proteger sus intenciones. Esta tendencia a manifestar un ojo más abierto que el otro puede variar constantemente en cada persona, en distintas situaciones y momentos, por ejemplo, si estamos en un momento sensible; es decir, viviendo una situación emotiva agradable el ojo derecho se abrirá más que el izquierdo, pero si se está atravesando una situación emocional dolorosa el ojo derecho tenderá a verse más pequeño que el izquierdo pues la persona buscará proteger las emociones, racionalizar y analizar la situación que vive.

Si buscamos establecer canales de comunicación, a una persona cuyo ojo derecho se percibe más abierto que el izquierdo, se recomienda hablarle en términos emocionales, a una persona cuyo ojo izquierdo se percibe más abierto que el derecho, se recomienda hablarle en términos prácticos y materiales.

Si el rostro tiene rasgos prominentes —como huesos y poca carne—, indica que predomina la energía Yang en su naturaleza y se manifiesta como una persona con necesidad de controlar a otros, busca rápidamente el poder y el éxito y puede volverse adicta al trabajo.

Si en el rostro predominan los rasgos suaves, huesos escondidos, carnoso, la energía Yin es dominante en su naturaleza y se manifiesta como una persona sumisa que obtiene pocos logros y es muy emotiva y sensible.

Así como los ojos se asocian con los sentimientos, el mentón se asocia con el carácter, los pómulos con los impulsos, la nariz con la riqueza, la barbilla con la decisión y el poder, las orejas con la fortaleza. De ésta manera, al observar la simetría del rostro, podemos establecer balance o desequilibrio en diversos aspectos de la persona según el rasgo asimétrico.

Al detectar cierto desequilibrio o tendencia hacia el Yin o hacia el Yang, se puede contrarrestar el efecto modificando las actividades, los colores que utilizamos, los alimentos que consumimos, entre otros. Es decir, si me encuentro en una etapa donde el Yin es dominante puedo realizar actividades, utilizar colores y consumir alimentos Yang y viceversa.

A continuación presentamos información que clasifica actividades, colores, y alimentos en Yin y Yang.

ALIMENTOS

YIN	YANG
Vegetales verdes	Sal
Tofu	Carne
Ensaladas	Huevo
Frutas	Pescado
Líquidos	Granos
Helados	Vegetales de raíz
Azúcar	Frijoles

ACTIVIDADES

YIN	YANG
Caminata lenta	Box
Natación	Karate
Tai chi	Fútbol
Yoga	Tenis
Meditación	Aerobics
Masaje	Jogging
Descanso	Caminata

COLORES

YIN	YANG
Oscuros	Brillantes
Azules	Rojos
Verdes	Amarillos
Negro	Blanco

Las personas espirituales y analíticas tienen una naturaleza de tendencia Yin, mientras que las prácticas y realistas manifiestan una tendencia Yang.

三停

3

División trinitaria del rostro

EL CIELO, LOS HUMANOS Y LA TIERRA

UN CONCEPTO PRIMORDIAL en metafísica china es el de la trinidad cósmica (Tian Di Ren). Para que todo proceso de vida, energía y destino se realice, es necesaria la conjunción de tres aspectos importantes: el cielo, el hombre y la tierra que forman un canal de conexión y de flujo de la energía o chi. Dentro de cada arte o ciencia chino se asocia la presencia de ésta trilogía con determinados aspectos de estudio.

En el caso de Mian Xiang, el rostro se divide en tres regiones importantes relacionados con ésta trilogía o con la energía del cielo, el hombre y la tierra.

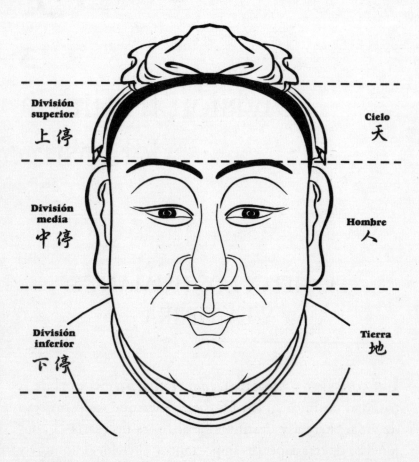

El rostro se divide en tres partes de manera horizontal. Del borde del cabello a las cejas se denomina el cielo, de las cejas a la base de la nariz el hombre y de la base de la nariz al borde de la barbilla la tierra.

Al establecer esta división trinitaria del rostro, la energía del cielo se asocia con el intelecto, el hombre representa las emociones y el comportamiento, y la tierra describe los instintos e impulsos.

El largo del rostro indica el nivel de calidez de una persona, entre más alargado es el rostro la persona tiende a ser más cálida y sensible. Entre más redondeado o corto su tendencia es más calculadora y analítica.

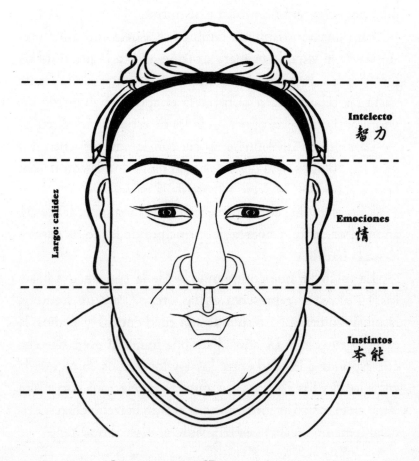

Entre más desarrollada está un área del rostro se interpreta como mayor control y equilibrio en el aspecto que se relaciona, por ejemplo, si la frente es más amplia o desarrollada que la nariz o la barbilla, se interpreta que la persona manifiesta un fuerte manejo y equilibrio intelectual y éste controla las emociones, el comportamiento y los impulsos.

Si un área del rostro está menos desarrollada significa que prevalecen esos aspectos; por ejemplo, una persona con barbilla pequeña será impulsiva e instintiva.

Esta división trinitaria también se asocia con diferentes etapas de la vida, la primera división abarca la juventud de los 15 a los 30 años y se ubica desde el inicio de la frente hasta las cejas. Esta región revela el apoyo recibido de los padres, así como las oportunidades de estudio y desarrollo.

La segunda división se asocia con la adultez, entre los 31 y los 50 años, y va desde las cejas hasta donde comienzan las fosas nasales; es decir, la base de la nariz.

La tercera división representa la edad madura, de los 51 años en adelante, y abarca del principio de las fosas nasales hasta la barbilla.

La infancia, que comprende desde la concepción hasta los 14 años, se representa en las orejas. Para un hombre, la oreja izquierda corresponde a la edad entre 1 y 7 años, la derecha entre 8 y 14 años. Para una mujer la oreja derecha corresponde a la edad entre los 1 y los 7 años, la izquierda entre los 8 y los 14 años. Lo anterior se relaciona con el Yin Yang en el rostro, recordemos que el lado derecho corresponde al femenino (Yin) y el izquierdo al masculino (Yang).

Si analizamos la cara de un niño, debemos observar sus orejas ya que son las que nos hablarán de su presente.

Cuando estos rasgos están marcados con manchas, líneas, pigmentación, piel seca o rasposa, palidez, cicatrices o lunares oscuros, representan aspectos o experiencias fuertes por vivir o ya superadas en dicha etapa.

Cuando los rasgos están libres de marcas, limpios, rosados, brillantes, humectados, sin resequedad o sin cicatrices ni lunares, indican situaciones satisfactorias experimentadas o por vivir.

La primera división trinitaria también se asocia con la nobleza de una persona, una frente bien desarrollada y marcada es indicativo de gente poderosa y fuerte. Asimismo se relaciona con el sistema nervioso.

La segunda división trinitaria tiene que ver con la salud, la longevidad y con los logros, una nariz bien definida y desarrollada, recta y fuerte es indicativo de una persona sana. Las mejillas se asocian con el sistema circulatorio, tonalidades oscuras anuncian problemas circulatorios.

La tercera división se asocia con riqueza y prosperidad, una barbilla de estructura fuerte y sólida habla de una persona con facilidad para la riqueza. Una barbilla frágil y delgada evidencia a alguien con tendencia a perder dinero, endeudarse, solitaria, predisposición a sentirse sola en la vejez así como a pasar carencias económicas al final de sus días. Esta división se relaciona con el sistema digestivo.

Si las divisiones están balanceadas en tamaño y medida, significa que cada etapa de la vida será productiva; tendrá resultados favorables y un buen estilo de vida.

Si alguna de las tres divisiones es más desarrollada o dominante, indica la etapa de la vida en la que la persona será más productiva y tendrá mejor orientación así como mejores resultados y éxito. Si alguna de las tres divisiones es más pequeña que las otras, indica que es la etapa de la vida en la que la persona encontrará mayores problemas y conflictos así como soledad y falta de apoyo. Por ejemplo: una frente pequeña indica una persona con pocas oportunidades de estudio, una juventud complicada con poco o nulo apoyo de sus padres. Una nariz muy pequeña indica personas con dificultad para escalar posiciones y obtener buenas oportunidades de desarrollo y estabilidad. Si la barbilla es delgada y pequeña indica una persona con una vejez llena de enfermedades, problemas y soledad.

Una frente amplia y fuerte indica una persona inteligente. Ahí se ubica la edad entre los 15 y los 30 años. Si la frente tiene alguna protuberancia o es dispareja puede indicar que la persona presentará o presentó retos constantes y dificultades durante ese período de vida. Una frente muy angosta o con cicatrices, con granitos o protuberancias muy marcadas, se puede interpretar como problemas o rasgos complejos. Lo ideal es que la frente sea lisa, suave, sin cicatrices ni marcas, alta y amplia. Si este tipo de frente se encuentra presente indica que la persona desarrollará éxito escolar y destacará profesionalmente desde la juventud. Si las sienes en una persona se presentan con hundimiento y existe crecimiento de cabello en esa zona indica una persona que vivió pobreza y que no obtuvo muy buena educación por parte de sus padres. Si las sienes se presentan llenas

o abultadas indica a una persona con riqueza y muy buen apoyo, atención y educación por parte de los padres. El lado izquierdo de la frente indica la relación con el padre mientras que el derecho con la madre (Yin y Yang).

La parte superior de la frente representa el poder o la capacidad analítica. La parte central de la frente habla de la capacidad de memoria de la persona. La parte baja de la frente habla de la capacidad de observación de una persona.

Las cejas nos indican el avance en la vida profesional de una persona entre los 31 y los 34 años. Las cejas delgadas, rotas, rebeldes indican dificultades durante esa etapa. Las cejas débiles avisan problemas para desarrollar éxitos profesionales. Una ceja elegante, media, ni muy delgada ni muy gruesa, indica una persona con una carrera exitosa y buena suerte en esa etapa de la vida. Las cejas se asocian con las emociones y la inteligencia. Si las cejas son más largas que los ojos y su crecimiento es derecho, es decir, no es rebelde o disparejo, hablan de una persona a quien le apasionan la belleza y las artes. Por el contrario, las cejas delgadas con crecimiento rebelde representan a una persona con poco sentido de la estética y poca atracción por el arte. Si las cejas son largas describen a una persona tranquila y dudosa para tomar decisiones, mientras que las cejas cortas o pequeñas evidencian a personas de decisiones rápidas y pensamiento ágil.

Para analizar de los 35 a los 40 años observemos los ojos. Si el tamaño de los ojos es distinto y muy marcado indica suerte inestable en esas edades con cambios constantes en lo profesional y lo sentimental. Si se perciben muy parejos en tamaño indica buena suerte y estabilidad.

De la base de la nariz, el puente, hasta la punta, nos habla del lapso entre los 41 y los 50 años. Si tenemos una nariz asimétrica la suerte será inestable en relación con cuestiones económicas y consolidación.

El lapso entre 51 años y 60 años se asocia con el filtrum y los labios. La barbilla y la quijada gobiernan la suerte entre los 61 y 70 años. La boca y la barbilla son determinantes para interpretar el tipo de vejez que le espera a una persona. Una barbilla redondeada y bien desarrollada indica una vejez próspera y alegre, mientras que una barbilla demasiado delgada o puntiaguda indica una vejez de soledad y tristeza.

Cuando el filtrum es largo y profundo indica personas alegres y felices en la vejez. Si los labios son similares en tamaño y grosor tanto el superior con el inferior, las comisuras de los labios no caen hacia abajo, y la barbilla y mejillas se perciben redondeadas, describen a una persona que lleva buena relación con sus hijos e hijas así como con sus empleados.

Si al contrario, el filtrum es muy angosto, las comisuras de los labios están hacia abajo, tiene barbilla delgada y puntiaguda así como mandíbulas huesudas o marcadas, avisan sobre una vejez triste y sola, sin compañía de familiares.

En resumen, la parte del cielo representa el desarrollo de la inteligencia, la parte del hombre representa la práctica o el uso de la inteligencia, y la parte de la tierra representa la cosecha a través del uso que se le dio en la vida a la inteligencia.

流年運程

4

Cien posiciones
en el rostro

LAS EDADES EN EL ROSTRO

Se refiere a un mapa facial denominado Bai Sui Liu Nian Tu y localiza cada año de edad en una distinta área de la cara. Cada posición en este mapa gobierna una edad de la vida, por ejemplo: a los treinta se atraviesa la suerte de los ojos, a los cincuenta la suerte de la boca y así sucesivamente.

Se analiza el desarrollo del área de la edad que se busca interpretar: la textura de la piel, la presencia de manchas, marcas, cicatrices o lunares para determinar aspectos importantes de suerte o atributos personales.

En mujeres el mapa se lee de derecha a izquierda, en hombres de izquierda a derecha.

Los números indican las edades chinas.
Mujeres empiezan con la oreja derecha.
Hombres empiezan con la oreja izquierda.

Las marcas y las manchas en el rostro pueden indicar situaciones conflictivas.

Ubica tu edad actual más uno —los chinos consideran la etapa del embarazo como parte de la edad de una persona—, encuentra tu posición actual; es decir, observa si estás del lado izquierdo o derecho del rostro. Si te ubicas en el lado izquierdo denota que en esta etapa estás sintonizado con el aspecto Yang y activo de tu vida. Si te ubicas en el lado derecho indica que estás más sintonizado con el aspecto Yin y receptivo de tu vida. Recuerda que si tu género es femenino las edades comienzan a ubicarse a partir de la oreja derecha y si es masculino a partir de la oreja izquierda (Yin Yang).

Si tu edad actual se ubica en el centro de la cara, indica que en este momento estás mucho más centrado y equilibrado en ti mismo, tus deseos, tus planes y tus necesidades personales.

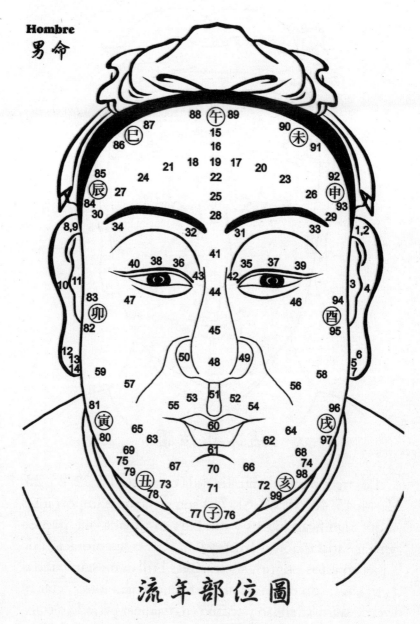

Hombre
男命

流年部位圖

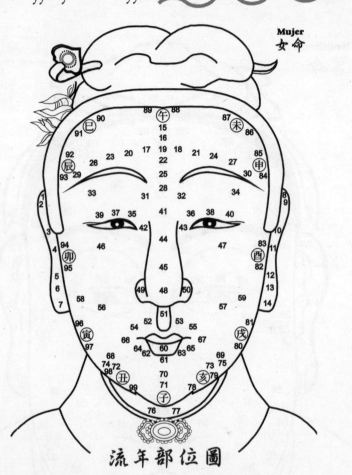

流年部位圖

Los trece puntos centrales de la cara —16, 19, 22, 25, 28, 41, 44, 45, 48, 51, 60, 61, 71— son posiciones importantes ya que significan logros y cambios en tu vida que pueden generar satisfacción o frustración. Revisa la coloración de la piel en estos puntos, si esas áreas brillan o están pálidas o grisáceas, son como señal o referencia para interpretar tu nivel de salud, vitalidad y actitud en cualquier periodo o etapa de tu vida. Por ejemplo, si la punta de la nariz es grisácea o seca, está demasiado pálida o enrojecida, indica salud frágil con respecto al corazón, además de problemas y tendencia a padecimientos cardiacos alrededor de los 48 años. Si descubres este tipo de características pon atención y cuídate, lleva una dieta balanceada para fortalecer tus órganos y reducir la tendencia a enfermedades y conflictos. Si la apariencia es rosada y brillante indica buena salud y órganos fuertes.

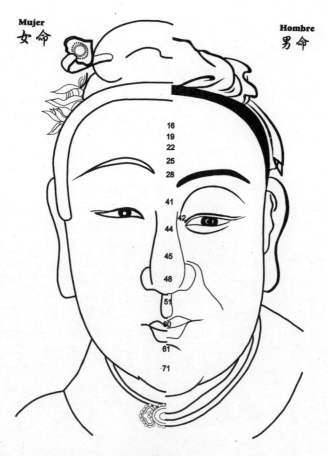

5

Catorce puntos meridianos en el rostro

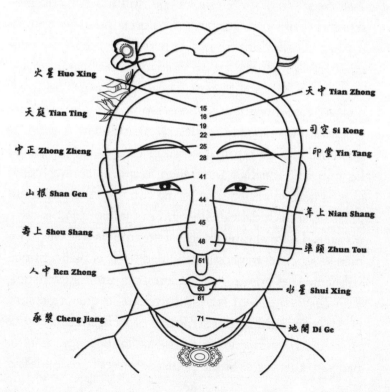

火星 **Huo Xing**

天庭 **Tian Ting**

中正 **Zhong Zheng**

山根 **Shan Gen**

壽上 **Shou Shang**

人中 **Ren Zhong**

承漿 **Cheng Jiang**

天中 **Tian Zhong**

司空 **Si Kong**

印堂 **Yin Tang**

年上 **Nian Shang**

準頭 **Zhun Tou**

水星 **Shui Xing**

地閣 **Di Ge**

15
16
19
22
25
28
41
44
45
48
51
60
61
71

Existen catorce puntos meridianos que se emplean para interpretar el pensamiento y comportamiento de una persona, esto los convierte en esenciales en la práctica de Mian Xiang; además se corresponden con los catorce puntos centrales de las edades en el rostro y su implicación es muy importante.

Cada punto meridiano tiene un nombre:

❖ *Huo Xing (15 años)*. Se ubica donde comienza la línea central del cabello en la frente. Aquellos cuya frente tiene muy baja la línea del cabello posiblemente tengan este punto escondido entre el cabello.

❖ *Tian Zhong (16 años)*. Si éste y el punto Huo Xing no presentan lunares o cicatrices, así como si no están cubiertos por cabello indican que la persona tendrá muy buena suerte en general en estas edades, destacarán en los estudios. Si están cubiertos de cabello o existe un lunar o cicatriz, se interpreta como personas complicadas para el estudio con posibilidades de abandonarlos y pocas posibilidades de retomarlos en el futuro. En el caso de las mujeres, aquellas que tienen lo que se conoce como el pico de la viuda —que se forma con una creciente triangular de la línea del cabello— indica que pueden casarse o iniciar vida sexual muy jóvenes. Este tipo de creciente también se asocia con incompatibilidad hacia el padre, principalmente si es un varón el que presenta esta característica.

❖ *Tian Ting (19 años)*. Este punto refleja lo que la persona puede o no terminar por sí misma; es decir, aquellos logros en los que necesita que otras personas la apoyen, ya sean sus padres o mentores. Si ese punto se presenta redondeado,

parejo, sin lunares ni cicatrices o marcas, significa que la persona siempre obtendrá apoyos externos de gente poderosa durante su vida. Esto se reflejará después de los 30 años, será apreciada en el aspecto profesional y crecerá rápidamente a corta edad. Por el otro lado, si presenta hundimiento, marcas, lunares o cicatrices, significa que la persona no obtendrá apoyos de otras personas y tendrá que trabajar doble y poner doble esfuerzo para obtener al menos la mitad de lo que otros logran. Se encontrará con estas dificultades antes de los 30 años y difícilmente obtendrá una buena posición profesional a temprana edad.

- *Si Kong (22 años)*. Cuando se presenta una línea profunda horizontal a la mitad de la frente, es decir, entre Si Kong y las cejas, experimentarán cambios drásticos en lo que se refiere a relaciones a los 22 años, puede ser un divorcio o separación o incluso un matrimonio. Si la textura es plana y lisa, no hay rayas o marcas en esa zona indica buenas relaciones en esa etapa de la vida.

- *Zhong Zheng (25 años)*. Este punto y el anterior reflejan la facilidad o habilidad de destacar en posiciones de gobierno o en empleos administrativos o directivos, si ambos puntos destacan de la textura del rostro; es decir, están ligeramente abombados, representan fama, éxito y buen desarrollo profesional, mientras que aquellos que tienen una línea, lunar o una cicatriz significa que difícilmente obtendrán una posición destacada en el gobierno o en trabajos administrativos. Podrán destacar si ponen negocios propios o desarrollan actividades que no requieran preparación universitaria.

◈ *Yin Tang (28 en el rostro).* Este meridiano es muy importante en la interpretación y lectura del rostro, ya que representa la esperanza y el optimismo de la persona. Si este puno es abultado sin líneas, lunares, marcas, cicatrices y sin vello de cejas, o si el pico de la viuda de la línea del cabello no le apunta directamente, indica a una persona optimista, positiva, activa y adaptable a las circunstancias de la vida. Es una persona que realiza sus sueños y obtiene sus metas. Por el contrario, si tiene hundimiento, coloración anormal, lunar, marca, cicatriz o cejas que crecen o el pico de la viuda de la línea del cabello le apunta directamente, evidencia a una persona pesimista y con actitud negativa hacia la vida que no logrará sus metas con facilidad; alguien a quien se le dificulta adaptarse a los cambios y que buscará trabajar en entornos donde no tenga que interactuar con muchas personas. Le cuesta trabajo dejar sus problemas en el pasado.

◈ *Shan Gen (41 años).* Este punto es decisivo para interpretar el tema del matrimonio. Si esta área presenta hundimiento representa mal karma y mala relación con la pareja. En mujeres significa que puede ser la segunda esposa e incluso trabajar mucho durante toda su vida por su marido. Si este meridiano se encuentra muy abultado o muy elevado significa una persona con alta autoestima y dificultad para relacionarse con una pareja. En hombres no es tan negativo pero en mujeres puede representar mantenerse solteras toda su vida. La forma ideal de este punto es ni muy alto ni muy hundido lo que reflejará que una persona tendrá buenas relaciones sociales

y amorosas. Si se presenta alguna línea, cicatriz, lunar o marca en ese punto significa que la persona vivirá lejos de su lugar de origen y será incompatible con su pareja. Los problemas y los conflictos serán más obvios y fuertes a las edades de 20, 29, 38 y 41.

◈ *Nian Shang (44 años) y Shou Shang (45 años).* Ambos puntos se ubican debajo de Shan Gen y generalmente coinciden con el hueso de la nariz o puente, trabajan juntos para reflejar problemas de salud y otras situaciones. Lo ideal es que su textura sea suave y su forma recta y alta, fuerte sin protuberancias, lunares, líneas o cicatrices. Una protuberancia en el hueso no es negativa en hombres, significa que la persona es demasiado competitiva y poco paciente. Cuando se presenta en mujeres representa desconfianza que reflejará en su relación con los hombres. Constantemente sospechan de engaños sentimentales y se comportan obsesivas hacia su pareja. Tienen malas relaciones sentimentales. La presencia de un lunar en esos puntos, tanto en hombres como en mujeres, significa problemas de salud a lo largo de su vida, además de incompatibilidad con la pareja. La presencia de líneas horizontales en esos puntos significan que la persona se verá constantemente envuelta en cuestiones legales y correrá peligro de ir a prisión. Líneas verticales en esos puntos significa problemas matrimoniales o de salud de la pareja; además significan que la persona vivirá lejos de su lugar de origen. Manchas oscuras pueden aparecer de vez en cuando en esos puntos. Si aparecen en Nian Shang significa que alguien de la familia se encuentra enfermo mientras que si la mancha aparece en Shou Shang significa que la persona está enferma. Los niños a los que se les ven las venas en el tabique de la nariz indica que tienen salud frágil. Las mujeres con un hundimiento en esos puntos generalmente no son la primer esposa o sufren constantes problemas matrimoniales. Sus esposos tendrán tendencia a ser alcohólicos, apostadores, jugadores o les gustarán las prostitutas. Los hombres que tiene un hundimiento en estos puntos no serán ricos y tendrán tendencia a gastar el dinero en exceso.

❖ *Punta de la nariz o Zhun Tou (48 años)*. Indica la capacidad de riqueza de una persona entre los 30 y los 50 años. Si la punta de la nariz es redondeada y grande significa buena suerte en la riqueza aunque tendrá que trabajar para obtenerla. Una nariz puntiaguda con fosas nasales visibles significa buena suerte para atraer dinero; sin embargo, lo gasta rápida y fácilmente quedándose sin ahorros. No acumula la riqueza. Este tipo de punta de nariz con el tabique corto indica una persona incapaz de ahorrar mientras que si el puente es largo indica una persona con facilidad para ser rico. Un lunar en la punta de la nariz significa que la persona tendrá un hijo exitoso, aunque habla también de que puede sufrir de hemorroides. Líneas en la punta de la nariz significan que la persona sufrirá pérdidas financieras constantes, principalmente a los 20, 29, 38, 47 y 48 años.

❖ *Filtrum o Ren Zhong (51 años)*. Se refiere a la cuevita que se forma entre la base de la nariz y el labio superior. En este meridiano se interpreta el cómo vive la persona, cuántos hijos tendrá y si su primogénito es niño o niña. Un filtrum largo y profundo significa larga vida mientras que un filtrum pequeño y corto significa una vida corta y mala salud en la edad adulta. El filtrum tiende a alargarse con el tiempo. Un filtrum amplio y profundo significa que la persona tendrá muchos hijos y no tiene problemas de fertilidad, uno delgado y superficial indica que la persona tendrá pocos hijos e infertilidad. Si el filtrum es puntiagudo significa que el primer hijo es niño. Si el filtrum es redondeado indica que el primer hijo es niña.

❖ *Boca o Shui Xing (60 años).* En este punto se interpreta la conducta sexual, los hábitos alimenticios y la credibilidad de una persona. Se considera una buena boca aquella que tiene el labio superior y el inferior de igual tamaño, simétricos hacia ambos lados. El labio superior representa el amor espiritual mientras que el inferior representa amor físico. Las personas que tienen el labio superior más ancho indica relaciones analíticas y mentales además de ser utópicas y soñadoras en el amor. Las personas que tienen ancho el labio inferior buscan el placer físico y el sexual. Las personas que tienen ambos labios de igual grosor dan igual importancia al amor espiritual y al placer físico. Las personas que tienen labios gruesos generalmente son calladas y no muy buenos oradores, mientras que las personas de labios delgados hablan demasiado. Para interpretar la credibilidad en una persona observa tanto los dientes como la boca. Los labios simétricos con dientes limpios y grandes representan a una persona confiable.

◈ *Cheng Jiang (hundimiento que está entre el labio inferior y la barbilla).* En este punto se identifican los problemas alimenticios, así como sus hábitos con relación al alcohol. Si este hundimiento es profundo significa que la persona no tiene problemas digestivos y que es un buen bebedor. Por otro lado, si este punto es plano, significa que la persona se emborracha con mucha facilidad. La presencia de líneas, cicatrices o lunares en este punto implican problemas constantes con el aparato digestivo y tendencia a intoxicarse y envenenarse.

◈ *La barbilla o Di Ge (61 años).* Una barbilla redondeada y marcada indica buena suerte en la vejez con cariño y muestras de aprecio, así como alegría. La barbilla también refleja la importancia que tiene la familia para una persona. La barbilla redonda y marcada significa que la persona ama estar en casa y se preocupa por su familia. Por el contrario, una barbilla puntiaguda y delgada indica una persona con tendencia a la soledad y la tristeza en la vejez, alguien con poca convivencia familiar. Las mujeres que tienen barbilla delgada y puntiaguda tienen problemas para la vida conyugal pues no les gusta estar en casa. Cuando la barbilla tiene un hundimiento al centro indica que la persona tendrá tendencia al divorcio si se casa muy joven. Si se casa en la madurez no se dará el divorcio. Un lunar en la barbilla significa que la persona siempre tendrá problemas con goteras y fugas de agua en su casa lo que se reflejará en problemas para ahorrar y conservar el dinero y la salud.

五星

6

Los puntos planetarios en el rostro

ALGUNOS RASGOS FACIALES se asocian con puntos planetarios; es decir, representan a un planeta y su estudio se basa en la coloración y tonalidad de la piel. Cada planeta se asocia con aspectos de vitalidad y fortuna. Si el color del rasgo es adecuado, la vitalidad es fuerte y las metas se lograrán con facilidad en ese momento de la vida. Si el color es pálido, la vitalidad es mínima y faltará la suerte.

◈ *Júpiter (estrella de madera). Oreja derecha.* El color ideal para las orejas es rosado blanco, ligeramente más claro que la cara. Si las orejas están enrojecidas o grisáceas indica mal momento y poca vitalidad. Revisa la oreja izquierda para asuntos que requieran buen juicio y sensatez, así como para tomar decisiones con sabiduría.

❖ *Venus (estrella de metal). Oreja izquierda.* La vitalidad de Venus se asocia con gracia, su fortuna se refleja en estatus por lo que es importante observar esta oreja para asuntos relacionados con mejorar o empeorar posiciones laborales, sociales o jerárquicas. El color ideal es rosado blanco, ligeramente más claro que el rostro.

❖ *Marte (estrella de fuego). Frente.* La fortuna de Marte se asocia con la aventura y su vitalidad es la actividad. Observa tu frente para asuntos que requieran esfuerzo físico y acción. El color ideal es rosado. Si está enrojecida indica conflictos, si está muy pálida manifiesta poca energía para actividades que requieran fuerza y vigor.

❖ *Saturno (estrella de tierra). Nariz.* La fortuna de Saturno radica en la seguridad y su vitalidad es la quietud. Observa la nariz para asuntos que involucren seguridad emocional y económica, así como para la paciencia. El color apropiado es dorado bronceado. Si la nariz es rojiza o pálida indica situaciones adversas asociadas con la seguridad y la estabilidad.

❖ *Mercurio (estrella de agua). Boca.* La fortuna de Mercurio es la riqueza y su vitalidad es la flexibilidad. Observa la boca para asuntos relacionados con el dinero, con la flexibilidad y la adaptabilidad. Si los labios están pálidos o morados, indican falta de buena fortuna. Retrasa tus asuntos hasta que los labios adquieran un mejor color, lo ideal es el tono rojizo rosado sin heridas o lastimaduras y de textura lisa.

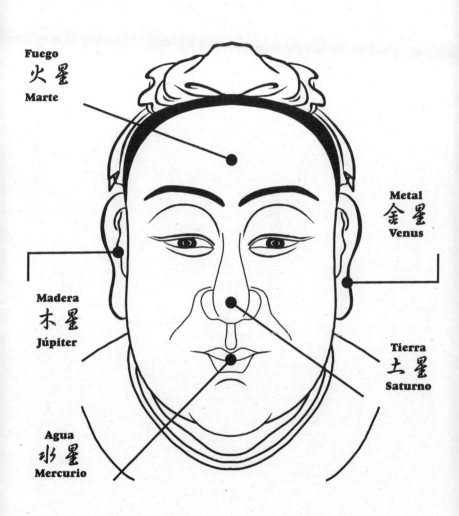

Fuego
火星
Marte

Metal
金星
Venus

Madera
木星
Júpiter

Tierra
土星
Saturno

Agua
水星
Mercurio

十 二 宮

7

Casas estelares en el rostro o doce palacios

DE ACUERDO CON LA TRADICIÓN, los maestros chinos difundieron la idea de que existen doce puntos en el rostro que corresponden a influencias cósmicas vinculadas con el destino de las personas. El color debe de ser brillante en el palacio, si la piel se encuentra opaca, el color es oscuro o presenta hundimientos o granitos es posible que se presenten retrasos o decepciones asociados con el palacio en que se encuentran.

Los maestros chinos llamaron a estos doce lugares del rostro "casas estelares", cada casa revela potenciales y posibilidades para encarar y solucionar diferentes situaciones de la vida. El lado izquierdo se asocia con los bienes que emites y el derecho con los bienes que recibes. A continuación el

significado de las doce casas estelares. Los doce palacios
gobiernan los doce aspectos de la vida de una persona.

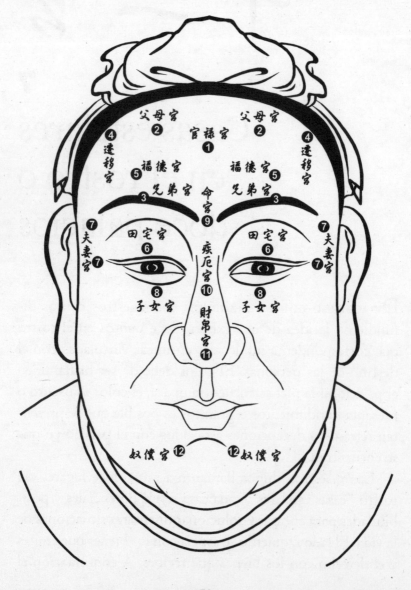

CASA 1 官禄宫

La casa I es conocida como la casa de los logros, se encuentra en el centro de la línea que divide el rostro, en el punto de la frente bajo el nacimiento del cabello. El color que favorece esta área es el rosado. Cuando una persona quiere realizar o terminar un proyecto exitosamente conviene que observe el estado de la casa I. Si se ha dado un golpe conviene que postergue la decisión y espere a que el efecto del golpe desaparezca. El color favorable es el rosáceo brillante. También se le conoce como el palacio o casa de la carrera o profesión. Indica el tipo de trabajo que la persona puede desarrollar. El primer punto a analizar es la altura o largo de la frente. Entre más larga y alta sea mejor. Si tu frente mide menos de 5 dedos se considera una frente pequeña. Lo ideal es una frente amplia, mínimo de cinco dedos, sin granitos, marcas, cicatrices o protuberancias. Debe ser alta y suave. Esto generará personas exitosas en carreras políticas o que escalarán altos niveles en grandes corporativos y empresas. Entre más chipotes o protuberancias tenga esta casa, más obstáculos se presentarán sobre todo si se busca escalar en política. La frente ideal para una buena posición en política y servicio público es alta y cuadrada. Para dirigir empresas y grandes corporaciones, alta y redondeada.

Una frente pequeña pertenece a las personas que no nacieron para trabajar en grandes corporativos o en política. Su fuerte es la habilidad de desarrollar y llevar a cabo; es decir, son prácticos, audaces y activos. Su fuerte es el trabajo físico más que el intelectual. Son personas que inician su vida laboral en la juventud.

Si la persona tiene protuberancias en la frente indica que su pensamiento es lento. Si su frente es protuberante y la barbilla retrocede, se trata de un individuo que piensa lento pero actúa rápido. Si la frente es protuberante y la barbilla también, se trata de una persona lenta para pensar y para actuar. Si la frente se inclina hacia atrás en la parte superior es alguien que piensa rápido.

Cuando la frente presenta venas visibles describe a personas con gran inteligencia y con tendencia espiritual, pueden ser sacerdotes o teólogos.

Una cicatriz en la frente puede representar daño en la actividad profesional o en el futuro profesional, se traduce en obstáculos constantes para sobresalir en este aspecto.

Cuando en este palacio o casa aparecen manchas oscuras significa cambio o pérdida del trabajo.

CASA 2

La casa 2 es conocida como la casa de los padres, se duplica en ambos lados de la frente. Cada uno corresponde a uno de los padres, la izquierda al padre y la derecha a la madre. Si el hueso frontal es visible, denota que la persona ha recibido una buena educación debido a la ayuda de los padres. Tonalidades de piel rosada en esta área es muy propicia. Si buscas pasar exámenes pon atención a estos dos palacios. Debes de tener cuidado si alguno se presenta muy pálido o rojizo.

A esta casa también se le conoce como la posición del sol y la luna. El sol representa al padre y la luna a la madre (Yin Yang). También indica la relación de una persona con sus padres e incluso, puede vincularse con la salud de los padres. Si se encuentran protuberancias, cicatrices o marcas indican problemas con los padres. Si se presentan del lado del padre significa que la persona no recibirá apoyo del padre durante el desarrollo de su vida. De igual manera si la imperfección está en el lado de la madre la persona no recibirá apoyo materno durante su vida.

Si los lados son asimétricos, uno con respecto al otro, indica que la relación de los padres entre sí es pobre y conflictiva.

Cuando la línea del cabello presenta pequeños cabellos, o salientes de cabello de bebé, significa que la persona le genera mala suerte a los padres; es decir, vive en constante desacuerdo con alguno de ellos.

CASA 3 兄弟宫

La casa 3 es conocida como la casa de los hermanos, se localiza en dos lugares del rostro arriba de las cejas. El lado izquierdo corresponde a los hermanos y el derecho a las hermanas. Cuando nos referimos a los hermanos y hermanas, es importante señalar que también se hace alusión a los

amigos. Un hueso frontal prominente es señal de triunfos en la vida pública y éxito social. El color adecuado: rosáceo brillante.

Las cejas que son más largas que los ojos indican que la persona tiene cuatro o más hermanos. Si el tamaño es igual o menor a los ojos, la persona tiene menos de cuatro hermanos.

Si el cabello de las cejas es noble y suave, crece hacia una misma dirección y su espesor es moderado quiere decir que la persona tendrá apoyo constante de buenos amigos y hermanos. Si el cabello de las cejas crece en sentido opuesto y es rebelde significa problemas constantes con amigos y hermanos. Cejas muy densas o gruesas determinan una relación indistinta con los hermanos y amigos: de vez en cuando buena, de vez en cuando mala.

En las cejas también se puede interpretar la salud de los hermanos y amigos cercanos a la persona. Una cicatriz o cortadura en la ceja significa problemas graves de salud o del corazón o de peligro extremo. Si es la ceja derecha se refiere a una hermana, si es la izquierda se refiere a un hermano.

En aquellos casos donde las cejas son disparejas; es decir, una es más alta que la otra, indica que la persona posiblemente tenga medios hermanos y medias hermanas. Analizar la casa de los padres y el nivel de las orejas apoyará a confirmar este particular; es decir, si las orejas están a diferente altura (una más alta que la otra) este pronostico se confirma.

CASA 4 遷移宮

Esta casa es conocida como de los viajes, está localizada en los extremos exteriores de la frente, y se corresponde con la energía de los viajes. El área izquierda está relacionada con viajes de vacaciones, negocios o viajes por traslados en el trabajo. El área de la derecha se refiere a actividades de viajes no relacionadas directamente, o sea, visita de amigos o familiares lejanos. El color adecuado es rosáceo brillante, tonos oscuros o verdes indican que los planes no saldrán bien.

Si la casa de los viajes tiene algún abultamiento indica que la persona obtendrá dinero por viajes o trabajos que requieran que la persona se traslade constantemente.

CASA 5 福德宮

Es conocida como la casa de la suerte, el palacio de la alegría y la buena fortuna, ocupa ambas sienes. El área izquierda corresponde a la felicidad, la derecha a la suerte. Debido a que la suerte es un factor importante en nuestra vida, necesitamos observar la casa 5, si muestra una tonalidad rosada es un signo favorable. Si es rojiza, es desfavorable; evita apostar dinero o iniciar proyectos que dependan de la suerte. El lado izquierdo es la suerte que generas a través de tus acciones y el derecho la suerte que te llega del cielo

o del destino. Un tono rojizo constante en esa área indica adicción a las apuestas.

Si existen líneas en esa casa, la persona encontrará obstáculos y dificultades para sentirse feliz y satisfecha, además de que será alguien con moral poco firme o de principios no muy sólidos. Si esta casa presenta huesos protuberantes indican a una persona dura y exigente consigo misma, siempre está detrás de la perfección. Si esta casa o palacio tiene cicatrices o líneas que la atraviesan, indican que la persona es compleja y difícil para establecer relaciones con otros, les cuesta trabajo entablar amistades por la opinión dura que tiene de los demás.

CASA 6 田宅宮

Es conocida como la casa de las pertenencias, tiene dos áreas ubicadas entre el borde inferior de las cejas y sobre los ojos. Su información acerca del futuro relaciona todo lo que corresponde con activos, bienes inmuebles y pertenencias personales. Se debe observar antes de comprar o vender propiedades o cosas importantes: El lado izquierdo se asocia con la compra de casa y el derecho con la decoración interior y los muebles. Lo ideal es que estén firmes y carnosos con brillo y luminosidad. Si está hinchado no es buen augurio y representa gasto excesivo de dinero. Si está seco con líneas o sin color es señal de cuidado. Si el área es huesuda y muy hundida indica que se necesita ayuda en el manejo de los bienes pues puedes ser tu peor enemigo. El párpado izquierdo se asocia con herencias paternas, mientras que el derecho con herencias maternas.

Esta casa representa también tu casa y hogar. El lugar donde vives. Si el palacio es bien definido indica una buena casa sin problemas y con buenas condiciones de vida. Si el párpado es estrecho entre el ojo y la ceja significa que la persona prefiere vivir en una casa pequeña ya sea condominio o departamento. Si el párpado es amplio significa que prefiere vivir en una casa grande con jardines y amplitud.

Si las cejas son bajas y crecen hacia el párpado, principalmente en el hombre, significa que su carrera se verá afectada, carente de logros y con necesidad de volver a empezar constantemente. Le teme a la esposa y es dominado por ella.

La presencia de manchas o sombras alrededor de los ojos indican falta de alegría en el hogar y problemas domésticos.

CASA 7 夫妻宫

Es conocida como la casa del matrimonio, tiene dos sectores situados en los extremos de los ojos, en el área conocida como "patas de gallo". El área izquierda corresponde a la pareja y los hijos; la derecha a las relaciones personales y extramatrimoniales. Si estas áreas muestran una textura suave, en una pareja, indican un matrimonio feliz y estable. Si existen muchas arrugas, pudieran ser presagio de problemas matrimoniales. Si son muy marcadas en personas jóvenes indican tendencia a la promiscuidad. Si en el palacio del matrimonio se presenta hundimiento significa una relación no satisfactoria ni feliz con la pareja.

En un hombre, si el palacio del matrimonio se encuentra abultado y sobresaliente indica que buscará una esposa dominante y mandona.

Si el hombre presenta líneas tipo patitas de gallo hacia arriba significa que es un hombre coqueto y seductor que disfrutan de atraer la atención de las mujeres pudiendo llegar a tener problemas serios que lo lleven a divorcios debido a romances extramaritales. A estas líneas también se les llaman cola de pescado.

CASA 8 子女宫

Es conocida como la casa de los hijos, esta casa tiene dos sectores ubicados debajo de los ojos. El área izquierda corresponde a los hijos, la derecha a las hijas. Además el área izquierda corresponde a los hijos nacidos del matrimonio presente, la derecha a los hijos nacidos en matrimonios anteriores, extramatrimoniales y adoptados. Indica fertilidad, la posibilidad de tener hijos y como los tratarán los padres. Indica la capacidad reproductiva:

◈ Brilla cuando la mujer está embarazada.
◈ Si es oscura indica complacencia sexual.

❖ Si está muy abultada indica aspectos negativos relacionados con la sexualidad y la salud sexual.
❖ Si es muy plana indica poca fertilidad sobre todo si se ve verde, gris o morada.

Si los ojos no se perciben hundidos y la piel debajo es rosada y sana, si no existe la presencia de ojeras oscuras significa que sus hijos son personas capaces que mantendrán el buen nombre de la familia. Si hay manchas oscuras o sombras en las ojeras los hijos serán desobedientes e irrespetuosos, demasiado dependientes y demandantes hacia los padres. En mujeres puede significar obsesión y paranoia con respecto a los hijos. Si a la mamá le aparece una pequeña mancha oscura justo debajo de un ojo significa un pequeño problema con algún hijo. Si es en el lado derecho, con una hija; si es en el izquierdo se refiere a un hijo. Si aparecen manchas blancas debajo del ojo significan posibles peligros para los hijos.

CASA 9 命宮

Es conocida como la casa de la vida, ocupa el área del entrecejo. Los antiguos filósofos chinos, y de otras culturas, consideran que en esta área se ubica el tercer ojo, asiento del corazón universal, el ojo de la divinidad cósmica. Su facultad denota la percepción de fenómenos trascendentales a través del sexto sentido o intuición. La tonalidad más propicia es

el rosado. Se le llama sello de aprobación e indica la llegada de la madurez. Se debe observar cuando se busca aprobación, una empresa importante o un cambio de vida. Expresa la energía interna y la vitalidad para emprender la búsqueda de éxito. Es un palacio muy importante pues representa la vida. La calidad de vida de una persona se interpreta en esta casa (prosperidad, salud, inteligencia y riqueza). Si no se encuentra en buen estado la calidad de vida de la persona será desfavorable aún cuando otros rasgos indiquen lo contrario. Para que sea adecuado, lo ideal es que te quepan dos dedos entre ceja y ceja. Si esta casa es angosta (sólo cabe un dedo) indica que la persona tiene una pobre y mala calidad de vida. Podrá tener dinero pero mala salud, podrá tener riqueza pero no le será suficiente. Este tipo de personas siempre se sienten rodeadas de problemas y devaluadas frente a las demás. Piensan que la vida no es justa, tienden a ser pesimistas y negativas. Se estresan constantemente pues siempre están insatisfechas y no disfrutan de la vida. Se refleja en una mentalidad cerrada y conflictiva. Por el contrario, si es amplia (dos dedos entre ceja y ceja) y su textura es lisa con la piel rosada y sana indica personas optimistas, capaces de volver cualquier circunstancia adversa en positiva. Disfrutan de la vida, incluso si no son ricos. Significa que las metas se obtienen con facilidad, la vida es suave y relajada, son de mentalidad abierta y capaces de superar situaciones difíciles. Si este palacio o casa no se ve rozagante y tiene huesos protuberantes a los lados significa que la persona tendrá que trabajar mucho para lograr metas simples, le cuesta mucho obtener dinero y buenas relaciones.

Además de interpretar la calidad de vida de una persona en este palacio, puede inferirse la vida familiar y la armonía en su hogar. Si el palacio o casa es angosto denota una vida familiar fría. Si es amplio indica una familia con valores y un ambiente y relación cálida y armónica.

Si esta casa es demasiado amplia (tres dedos) denota una persona demasiado generosa y esplendida que no le da valor e importancia a los eventos y aspectos importantes en su vida. No sabe tomar decisiones ni resolver situaciones. El manejo de su economía es pobre y no valoran su autodesarrollo ni les interesa mejorar su cultura o elevar su nivel de vida.

Las arrugas que se forman por fruncir el ceño afectan este palacio. Cuando se presentan en esta casa indican situaciones constantes de inestabilidad e indecisión en la vida de la persona, demasiado estrés y angustia para definir su camino. Indican soledad y una sensación constante de presión, frustración e incomprensión. La presencia de una sola arruga vertical en este palacio indica soledad en el matrimonio y separación. En mujeres puede representar viudez o abandono por parte del marido y los hijos, así como poca afinidad con ellos; en un hombre significa que es una persona alejada de la familia.

Si este palacio o casa está hundido, indica que la persona se deprime con facilidad y que los demás la oprimen y limitan, se desmotiva fácilmente y no tiene metas o planes en su vida a futuro.

Al analizar este palacio es importante observar el crecimiento de las cejas, si crecen hacia el palacio o casa de la

vida nos habla de una persona ególatra e incapaz de alcanzar lo que busca. Sufren de excesiva ambición y siempre terminan experimentando depresiones y caídas por no alcanzar sus metas.

CASA 10 疾厄宮

Es conocida como la casa de la salud, se localiza entre los ojos, en el inicio superior de la nariz. Denota la capacidad vital del individuo. La presencia de una tonalidad rosada es muy favorable; tonalidades oscuras, en cambio, no lo son. Es importante la observación de esta área, especialmente en días previos a alguna operación o del comienzo de algún tratamiento médico. También se asocia con la salud de los que viven contigo.

La presencia de líneas, ya sean verticales u horizontales, cuando la persona sonríe indica problemas de salud. Si el puente de la nariz es delgado y presenta sombras a los lados indica problemas con los huesos de la espalda. Si aparecen venas o líneas rojizas en la nariz se interpreta como problemas de la sangre. Si existe la presencia de un nudo o protuberancia chica en el punto de esta casa o palacio significa que la persona padece problemas digestivos.

CASA 11 財帛宮

Conocida como la casa de la riqueza está ubicada en la punta de la nariz. Todas las decisiones o actividades económicas se vinculan con ella. La mejor tonalidad es el rosado, durazno o beige bronceado. Una tonalidad rojiza es desfavorable, indica impulsividad y extravagancia en el manejo del dinero. Un tono verdoso, pérdida de dinero. Si es muy pálida, blanca o verdosa debes cuidar el dinero. Una buena nariz es aquella que no está rota ni desviada. Su apariencia debe de ser fuerte, sólida, recta y firme. No es recomendable que se vea huesuda, ni con forma de gancho o puntiaguda.

Las personas de nariz carnosa (no en exceso) identifican a alguien con buenas intenciones. Si es muy carnosa, la persona caerá en el hedonismo. Las personas de nariz delgada son egoístas y guardan una que otra mala intención, pueden ser envidiosos con los demás. La punta de la nariz indica la capacidad de generar riqueza y las fosas nasales la capacidad de retenerla. Una punta redondeada habla de una gran capacidad para obtener riqueza. La punta de la nariz delgada o encorvada hacia abajo indica una capacidad limitada de generar riqueza. Las fosas nasales visibles indican poca capacidad de retener el dinero, fosas nasales no visibles indican a una persona que cuida el dinero, capaz de ahorrarlo y obtener grandes fortunas.

Una nariz grasosa o con cicatrices no es muy adecuada ya que se refleja en riqueza que se desparrama o despilfarra.

Si las líneas que bordean las fosas nasales son muy marcadas indican a una persona capaz de recibir mucho dinero pero incapaz de ahorrarlo, tiende a llenarse de deudas.

La nariz de una mujer representa a su esposo. Si la nariz presenta algún problema esto se reflejará en su marido o matrimonio. La presencia de un lunar o marca en la nariz significa problemas de salud y posible infidelidad del marido. Si el puente de la nariz es recto y sólido indica un marido estable y capaz.

Una nariz muy pequeña en mujeres puede indicar que sea la segunda esposa o la amante.

Una mujer con una nariz sólida, firme, sin desviaciones ni marcas, con la punta carnosa y redondeada con fosas nasales visibles se casará con un buen hombre rico. Una mujer con la nariz chueca o desviada indica un esposo envuelto en actividades de alto riesgo o ilícitas. Es un efecto de reflejo, observa la nariz de tu esposa y te indicará tu suerte en el dinero.

CASA 12 奴僕宮

Es conocida como la casa de la vida diaria, se ubica en los extremos del labio inferior de la boca.

Esta área del rostro se relaciona con las actividades diarias, en la casa u oficina, como: contratar servicios, reparaciones o cocinar. Es conveniente observarla cuando queremos contratar algún servicio o contrato de reparación en la casa u oficina.

En este palacio se interpreta la relación con las personas que están a tu servicio, desde la asistente del hogar hasta el jardinero.

Es importante que no existan arrugas que atraviesen el palacio, de presentarse señalan que la estructura está rota y hay problemas constantes con empleados y personas que trabajen ocasionalmente para ti.

Cuando hay espacio entre el labio y la barbilla indica un buen palacio de la vida diaria, lo que significa una buena vida rodeada de buenos colaboradores.

六曜

8

Seis puntos estelares en el rostro

S<small>E REFIERE, EN</small> M<small>IAN</small> X<small>IANG</small>, al ángel interno, la gracia, el carisma o buena estrella que posee cada quien.

Se consideran seis puntos estelares que se deben analizarse cuando se busca el éxito, es necesario estudiarlos a diario.

- Cada ceja es un punto: la izquierda el barón, la derecha el consejero.
- Cada ojo es una estrella, el izquierdo el sol, el derecho la luna.
- El entrecejo es el aire púrpura.
- Entre los ojos se llama polvo de luna.

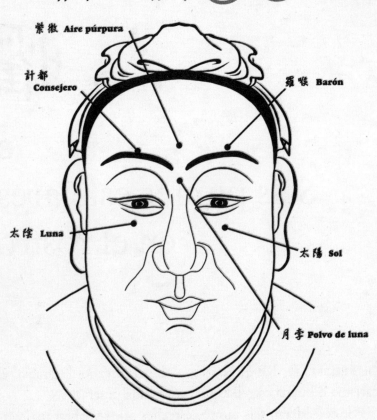

紫微 **Aire púrpura**

計都 **Consejero**

羅睺 **Barón**

太陰 **Luna**

太陽 **Sol**

月孛 **Polvo de luna**

BARÓN Y CONSEJERO: CEJAS

Indican el impulso interno agresivo que un individuo necesita para volverse una estrella y obtener fama.

◈ *Ceja izquierda:* indica estrellato a través de su propia iniciativa y agresividad.

❖ *Ceja derecha:* se basa en sabiduría, prudencia en construir su propia suerte.

Las cejas cerradas son señal de personas que se autodestruyen pues invaden el área de la estrella aire púrpura.

Si las cejas son de cabello sedoso y fuerte, suaves, de buen color, arqueadas, de un largo razonable y ni muy gruesas o delgadas son símbolo de éxito. La distancia ideal entre ellas es de dos dedos. Las cejas como rasgo representan las aspiraciones y los sueños de cada persona.

AIRE PÚRPURA: ENTRECEJO

Se le conoce como el sello de aprobación. Muestra la bendición del cielo para obtener éxito y es la señal intangible de buena estrella. Debe de ser amplia, sin cabello, tener un brillo púrpura. Cuando este brillo aparece indica éxito en cualquier empresa.

SOL Y LUNA: LOS OJOS

❖ *Ojo izquierdo: sol.* Indica estrellato o fama a través de creatividad e inteligencia. Muestra la vitalidad interna por medio del balance y uso efectivo de las energías cósmicas Yin y Yang.

- ❖ *Ojo derecho: luna.* Indica reconocimiento o fama a través de los sentimientos y las emociones.
- ❖ Lo ideal es que los ojos sean largos, luminosos y húmedos con un iris largo y lo blanco del ojo muy claro. La piel de alrededor debe de ser firme y sin líneas.

El brillo de los ojos y la luminosidad son clave. Si los ojos están rojizos o con poco brillo es señal de que no es buen momento para intentar destacar en aspectos creativos, proyectos y aventuras.

POLVO DE LUNA: ENTRE LOS OJOS

Asegura éxito fácil en la juventud como regalo del cielo. Promete éxito en la edad media a través del esfuerzo y la ambición. Este punto representa las aptitudes y talentos necesarios para lograr fama y destacar, así como la aptitud de trabajar para alcanzar el sueño personal. Aquello que se logra por medio de este punto perdura en la madurez y la senectud.

Ese espacio debe ser amplio como el tamaño de un ojo entre los ojos. Debe ser suave y redondeada, no hundida y libre de líneas. Su color es claro y luminoso; no verde, no amarillo, no gris.

CUANDO EXISTE DESTELLO O RESPLANDOR EN LOS PUNTOS ESTELARES ES INDICATIVO O CARACTERÍSTICO DE AQUELLAS PERSONAS QUE BRILLAN EN LA VIDA.

面部氣色

9

Color de la tez

- Lo ideal es que el rostro tenga el color de Chi Yang que se representa o asocia con un brillo interior.
- Las caras que tienen un leve tinte rojizo indican fortuna y prosperidad, esto puede confirmarse con el color de las palmas de las manos, que deben de ser de un color rojizo y carnosas.
- Cuando la cara es muy pálida indica pobreza.
- Un tinte púrpura es glorioso.
- Un tinte azulado indica nobleza.
- Es preferible que no haya venas visibles en la cara, ya que simbolizan problemas.
- Las venas verdosas o azuladas son características de personas con malas intenciones.

Cuando aparece tonalidad rojiza incluyendo vasitos capilares indican una condición Yin, el corazón está trabajando extra por exceso de Yang; es necesario buscar el equilibrio consumiendo alimentos Yin.

El color café en la piel es indicativo de problemas con el hígado y la vesícula. Puede ser generado por exceso de sal y las pecas son señal de ello.

El color amarillo es indicativo de problemas con el páncreas, el hígado y la vesícula. Indica que la bilis no fluye adecuadamente y se va a la sangre en lugar de al duodeno. Se genera por exceso de Yang; en este caso, se recomienda consumir más vegetales.

El color verde indica pérdida de la naturaleza humana y procesos degenerativos como cáncer. A los lados de la cara, cáncer pulmonar; detrás de la mano entre el pulgar y el índice, cáncer en los intestinos. La gente de mal carácter, pesimista y excesivamente ambiciosa tiende a desarrollar esta enfermedad.

El color azul o morado indica exceso de Yin y es una señal peligrosa que avisa sobre un fuerte proceso degenerativo. Una nariz morada señala un corazón muy dilatado y presión arterial alta o baja. Este color puede indicar una muerte súbita y repentina.

El color negro se asocia con problemas de riñones, su origen es extremadamente Yin y puede ser generado por exceso de medicamentos o drogas. El negro es el color de la muerte. Se puede mejorar con una buena alimentación por un largo periodo de tiempo. Los lunares son un ejemplo de esta tonalidad, generalmente aparecen en meridianos de acupuntura indicando daños en órganos determinados; en este caso, se recomienda evitar el exceso de proteína animal.

El gris en la piel indica un hígado fuerte. La piel se puede volver insensible y dura. Son personas depresivas con tendencia al mal carácter.

Palidez indica una condición Yin en los pulmones. Puede ser asma, alergias o problemas respiratorios.

Transparencia en la piel indica tuberculosis o problemas de piel causados por bacterias.

五 行

10

Los cinco elementos

COMO PARTE ESENCIAL de la metafísica china, existe la teo-
ría de los cinco elementos (Wu Xing) que interactúan en
ciclos de generación, reducción, control, destrucción y
mediación.

Mónica Koppel y Bruno Koppel

CICLO DE GENERACIÓN DE LOS CINCO ELEMENTOS
五行相生

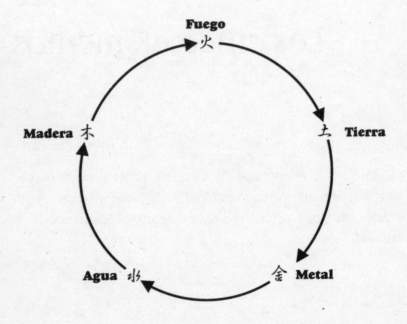

CICLO REDUCTIVO DE
LOS CINCO ELEMENTOS

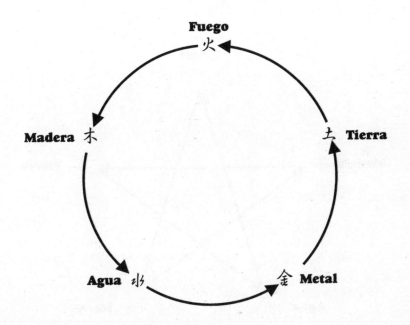

CICLO DE CONTROL Y DESTRUCCIÓN DE LOS CINCO ELEMENTOS

五行相尅

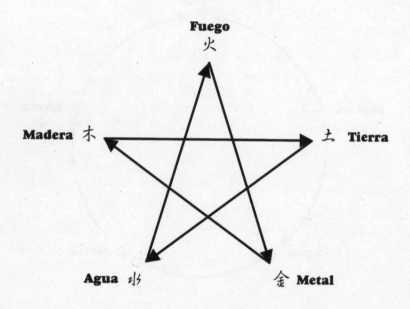

CICLO DE BALANCE DE LOS CINCO ELEMENTOS
五行相疏通

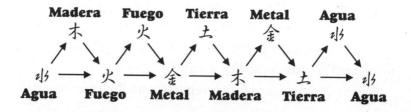

Los cinco elementos son la sustancia de todo lo que existe en el planeta, cada uno se asocia con un planeta diferente, así como con alimentos, colores, formas, texturas, rasgos del rostro, órganos del cuerpo, emociones y sentimientos.

Los cinco elementos son: agua, madera, fuego, tierra y metal.

Agua 水

Se distingue por las formas irregulares (no picudas), como olas, ondulaciones; así como las formas libres tales como la alberca olímpica y el gimnasio Juan de la Barrera en la Ciudad de México ambas forman un patrón ondulante, una vereda o camino ondulante. Las calles, así como los pasillos, se asocian con este elemento.

Los colores que lo distinguen son negro y azul marino, así como otros colores en sus tonalidades más oscuras: gris oxford o verde.

Las texturas que distinguen a este elemento son: agua y líquidos, incluido el aceite.

Detalles arquitectónicos y partes de la casa, así como artículos decorativos: fuentes, baños, lavandería, bar, tinaco, fosa séptica, peceras, cuadros en los que figuren elementos agua como aspecto principal (fuentes, cascadas, lagos, ríos, mares, entre otros), espejos y vidrios.

Ejemplos de "curas" que representan al elemento agua:

Fuentes

Acuarios

Cuadros o posters

Madera 木

Sus formas son aquellas que son alargadas y generalmente verticales, ya sean cilíndricas, tubulares o cuadradas. Un rascacielos se considera de este elemento, lo mismo sucede con las columnas.

Los colores que lo distinguen son los colores verde y azul (excepto en sus tonalidades más obscuras).

Las texturas de este elemento provienen de fibras vegetales, tales como el algodón, el yute, el henequén y la madera.

Detalles arquitectónicos y partes de la casa, así como artículos decorativos son: textiles con patrones o dibujos florales, un cuadro con un paisaje boscoso, plantas y árboles, un piso y/o muebles de madera. Los postes también se consideran como parte de este elemento.

Ejemplos de "curas" que representan al elemento madera:

Plantas como el bambú o palo de Brasil

Fuego 火

Sus formas son las pirámides, los conos, triángulos, picos y estrellas.

Los colores que lo distinguen son rojo, naranja y amarillo intensos, como un rojo cereza.

Las texturas de este elemento son aquellas que provienen de pieles de animales o tienen formas piramidales sobresalientes.

Detalles arquitectónicos y partes de la casa, así como artículos decorativos: velas, luces y lámparas, pared roja, fotografías, cuadros y/o figuras de personas o animales, estufa, calentador, chimenea, techo de dos aguas. Cuadro de una montaña picuda como el Monte Fuji o el Popocatépetl.

Las deidades o ángeles se asocian con este elemento. Ejemplos de "curas" que representan al elemento fuego:

Velas   Lámparas de piso

Tierra 土

Las formas de este elemento son los cuadrados, rectángulos y cubos, un edificio no muy alto y en forma de cubo puede ser un buen ejemplo.

Los colores que distinguen a este elemento son el terracota, café, amarillo, ocre, arena, beige, tonos rojizos, etcétera.

Sus texturas son porosas, tal y como el ladrillo, el adobe, la arcilla.

Detalles arquitectónicos y partes de la casa, así como artículos decorativos de este elemento son: muebles cuadrados, piso de loseta o de cantera, cuadros con paisajes desérticos y planicies, ladrillo, cantera, barro, cerámica, talavera y porcelana

Ejemplos de "curas" que representan al elemento tierra:

Jardín Zen

Metal 金

Sus formas son las esferas, círculos, óvalos, arcos y bóvedas o cúpulas, como la cúpula de una iglesia.

Sus colores son gris, blanco, marfil, así como los metálicos: plata, plateado, cobre, oro, etcétera.

Texturas acojinadas o redondeadas.

Detalles arquitectónicos y partes de la casa, así como artículos decorativos: pisos o paredes blancas, bombillas, una barcaza dorada (china), un tapete redondo, cuarzos y cristales. Cuadros con paisajes invernales.

Ejemplos de "curas" que representan al elemento metal:

Esferas de vidrio soplado

Monedas chinas anudadas

Los cinco elementos son parte primordial en lectura de rostro y la interpretación de la salud en las personas.

Cada elemento se asocia con distintos aspectos:

MADERA

Parte del cuerpo	Vesícula
	Hígado
	Músculos
Sentido	Vista
Secreción	Lágrima
Sabor	Agrio
Emoción	Irritabilidad
Expresión	Grito
Planeta	Júpiter

FUEGO

Parte del cuerpo	Intestino delgado
	Corazón
	Vasos sanguíneos
Sentido	Habla
Secreción	Sudor
Sabor	Amargo
Emoción	Alegría
Expresión	Risa
Planeta	Marte

METAL

Parte del cuerpo	Intestino Grueso
	Pulmones
	Piel y el vello
Sentido	Olfato
Secreción	Moco
Sabor	Podrido
Emoción	Reflexión
Expresión	Llanto
Planeta	Venus

AGUA

Parte del cuerpo	Vejiga
	Riñones
Sentido	Oído
Secreción	Orina
Sabor	Salado
Emoción	Temor
Expresión	Gemido
Planeta	Mercurio

TIERRA

Parte del cuerpo	Estómago
	Bazo y páncreas
	Carne
Sentido	Gusto
Secreción corporal	Saliva
Sabor	Dulce
Emoción	Empatía
Expresión	Canto
Planeta	Tierra

11

Los cinco elementos y la alimentación

Los CINCO ELEMENTOS, en sus fases Yin y Yang, se relacionan con distintos aspectos de nuestra vida como los órganos del cuerpo, sabores, emociones, direcciones cardinales, funciones vitales, partes exteriores o aberturas del cuerpo, capacidades mentales, fluidos corporales y planetas. Aquí aplicaremos estos aspectos como una herramienta más para mejorar nuestra vida y salud.

Todos los aspectos de la vida humana se relacionan con los cinco elementos que se pueden armonizar al conocerlos y aplicar sus ciclos. Estos aspectos pueden ser psicológicos, emocionales o fisiológicos. Los cinco elementos y sus ciclos nos proveen un método de trabajo que permite relacionar el cuerpo humano con el aspecto exterior (entorno) por

medio de colores, fibras textiles y accesorios; también nos enseñan a identificar como funcionan los órganos y cómo nutrir y armonizar nuestro cuerpo.

A continuación hablaremos de los cinco elementos en su fase Yin y en su fase Yang, además de presentar las características de cada uno.

FUEGO 火

El órgano del cuerpo representativo del fuego en su fase Yin es el corazón. Se le conoce como el rey de todos los órganos. Se relaciona con la mente y las emociones; si el corazón se encuentra débil, las emociones se vuelcan y dominan los pensamientos que controlan al cuerpo. En el aspecto fisiológico controla la circulación sanguínea, además se asocia con la glándula del timo, que se regula y afecta a través de las emociones.

El fuego Yang se representa por el intestino delgado, controla las emociones básicas y en el nivel glandular se relaciona con la pituitaria, reguladora del crecimiento, con el metabolismo, la inmunidad, la sexualidad y todo el sistema endocrino.

MADERA 木

El órgano que representa la madera Yin es el hígado, que se encarga de desintoxicar la sangre. Controla el sistema nervioso periférico que regula la tensión y la actividad muscular, los ligamentos y los tendones.

La vesícula es el órgano de la madera Yang y se encarga de almacenar los fluidos necesarios para la digestión. Trabaja con el sistema linfático, elimina dolores musculares y fatiga.

TIERRA 土

La tierra Yin se asocia con el páncreas y el bazo, encargados de la extracción y asimilación de los nutrientes de la actividad digestiva. Coordinados con los riñones, controlan el buen funcionamiento y distribución de los fluidos a través del cuerpo.

El estómago es el órgano considerado tierra Yang, responsable de proveer al cuerpo los nutrientes que extrae de los alimentos. Regula y equilibra las cinco energías elementales del cuerpo, su mal funcionamiento se refleja en malestares corporales generalizados.

METAL 金

La energía Yin del metal se aloja en los pulmones, encargados de controlar la respiración. Se asocia directamente con el corazón; ambos son considerados los grandes proveedores de energía para el cuerpo, lo que se traduce en vitalidad y salud. Relacionado con el sistema nervioso autónomo se convierte en un elemento puente entre el cuerpo y la mente, aspecto importante para obtener el balance.

La energía metal Yang se ubica en el intestino grueso que tiene la función de procesar los desechos. Se considera un órgano purificador y, junto con los pulmones, controla la piel y la sudoración.

AGUA 水

La energía del agua se manifiesta en fase Yin a través de los riñones y se considera la reserva de energía esencial para vivir (los líquidos). Funciona junto con las glándulas suprarrenales, encargadas de las hormonas que regulan el metabolismo, la inmunidad, la potencia sexual y la fertilidad. Los riñones son los filtros de la sangre y se conectan con la vejiga para eliminar los líquidos del cuerpo. La anemia y las deficiencias inmunológicas se relacionan con un mal funcionamiento o debilidad de los riñones.

La energía Yang del agua se aloja en la vejiga, encargada de almacenar y eliminar toxinas del cuerpo por medio de la orina.

Cada órgano tiene su propia función; sin embargo, todos se relacionan combinando funciones para lograr el balance y armonía del organismo. La falta de alguno de los elementos en la alimentación o en el entorno, puede provocar problemas de salud; éstos los podemos corregir a través de la alimentación.

En la medicina oriental, cada órgano mayor se considera antagónico y complementario con otro órgano mayor, ésta relación se da de la siguiente manera:

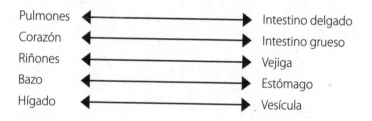

Pulmones	⟷	Intestino delgado
Corazón	⟷	Intestino grueso
Riñones	⟷	Vejiga
Bazo	⟷	Estómago
Hígado	⟷	Vesícula

Un problema con alguno de los órganos complementarios afectará a la contraparte.

A continuación, una lista de los alimentos asociados con cada elemento.

Madera: trigo, centeno, avena, lentejas, chícharos, ejotes, vegetales verdes, pimientos verdes, brócoli, cítricos, pollo y alimentos de color blanco o verde.

Agua: frijoles, algas marinas, cerezas negras, moras azules, uvas moradas, sandía, pescado y alimentos oscuros.

Metal: arroz, frijoles de soya, tofu, cebolla, nabos, rábanos, coliflor, col, pera, pavo, apio, carne de res y alimentos de colores claros o tonos pastel.

Tierra: frutas dulces, nueces, atún, pez espada, aves salvajes y alimentos de colores térreos.

Fuego: maíz, endibias, mostaza, tomates, escalopas, fresas, cerezas rojas, duraznos, barbacoa, borrego, camarones.

12

Los elementos y las emociones

Las emociones también están relacionadas con los elementos, un exceso de emociones daña al cuerpo y afecta su funcionamiento, indican también un desequilibrio en los elementos.

La alegría se relaciona con el fuego, el exceso de emoción deriva en nerviosismo, agitación y puede dañar al corazón y al intestino. Ese exceso puede ser controlado con agua o reducido con tierra.

El coraje representa la madera y su exageración daña al hígado y al sistema nervioso. Lo podemos controlar con metal y reducir con fuego.

La ansiedad y la concentración pertenecen a la tierra, pueden perjudicar al páncreas, al bazo y al estómago. Este

desequilibrio puede controlarse con madera y reducirse con metal.

El pesar se asocia con metal y en exceso puede dañar a los pulmones y al intestino, así como el sistema nervioso, los huesos y el sistema inmunológico. Se controla con fuego y se reduce con agua.

El miedo y el susto corresponden al elemento agua, afecta los riñones y la vejiga. Se puede controlar con tierra y reducir con madera.

13

Cinco formas básicas o elementales del rostro

La forma de la cara se asocia con las cinco formas básicas de los cinco elementos de la naturaleza. La forma del rostro influye en el temperamento de la persona. Además, cada elemento está asociado con una tonalidad y una complexión.

Elemento	Planeta	Forma	Forma facial	Color	Complexión	Vitalidad	Fortuna	Empresa
Madera	Júpiter	Invertida	Triángulo	Verde	Oliva	Crecimiento	Sabiduría	Arte
Fuego	Marte	Triángulo	Pera	Rojo	Rojiza	Actividad	Aventura	Show
Tierra	Saturno	Cuadrado	Cuadrado	Amarillo	Bronce	Quietud	Seguridad	Industria
Metal	Venus	Óvalo	Óvalo	Blanco	Marfil	Gracia	Estatus	Dirección
Agua	Mercurio	Circular	Redonda	Negro	Apiñonada	Flexible	Riqueza	Finanzas

Para establecer el temperamento de una persona se considera primero la forma de la cara, después la complexión y el resto de las características.

Se consideran cinco formas básicas: pera (fuego), redonda (agua), triángulo (madera), óvalo (metal) y cuadrada (tierra) y tres formas combinadas de madera con algún otro elemento: diamante (madera y fuego), ovalada (madera y metal) y de corazón (madera y agua).

PERA (FUEGO)

Esta forma se caracteriza por ser ancha en la parte de la barbilla y el mentón y delgada en la frente. Dan la impresión de ser personas estudiosas y dedicadas. Tienen nariz y mejillas definidas, les gustan los buenos modales, la diplomacia y la belleza; son amables, elegantes y educados. Sus ojos tienden a ser brillantes y se preocupan por su aspecto; son coquetos, aventureros, ambiciosos, impulsivos y enojones. Son excelentes oradores y perseveran hasta obtener lo que desean. Son exhibicionistas y destacan en las actividades que realizan. Listos, atractivos, dinámicos y rápidos; magnéticos e inteligentes, muy astutos. Inseguros, volubles e inestables.

La forma triangular es para los científicos, los radicales, los actores, los reporteros, los publicistas, los vendedores y los políticos, los que se obsesionan con una idea y son capaces de llevarla hasta sus últimas consecuencias. Se le denomina "el entretenido y divertido". Su vitalidad es la

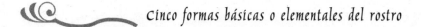

actividad, su fortuna es su espíritu aventurero y su éxito está en mostrarse. Su planeta es Marte (estrella de fuego)

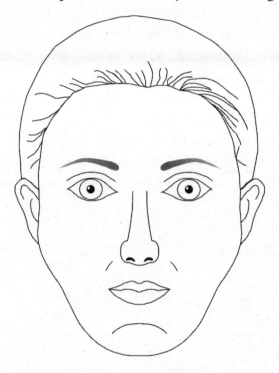

REDONDA (AGUA)

Rostro redondo e irregular, sin forma definida. Son caras regordetas, sin montañas muy marcadas. Adaptables, sobrevivientes. Salen adelante ante cualquier circunstancia. Inteligentes, rápidos e intuitivos. De pensamiento profundo y confuso. Es la forma de los inventores. Aunque son muy prácticos y racionales no funcionan a partir de normas; son adaptables, flexibles, de ideas claras, brillantes y diplomáticas. Se relacionan fácilmente con los demás, su fortuna en la vida se asocia con el dinero y tienden a dedicarse a los negocios o a las finanzas. Se les conoce como "el emprendedor". Siempre cariñosos, se pueden convertir en un tipo de persona oportunista y les gusta apostar; su gusto por la buena vida puede acarrearles exceso de peso. La movilidad y la fluidez son su punto fuerte, su debilidad es el dinero fácil. Su planeta es Mercurio (estrella de agua). Su vitalidad radica en la flexibilidad, su fortuna es la riqueza y su éxito las finanzas.

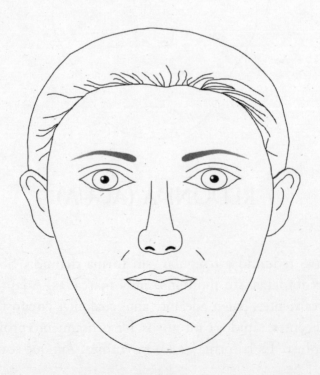

TRIANGULAR (MADERA)

Amplia o ancha en la frente con una barbilla o base angosta y delgada. Alargada, rectangular. Se refiere a los pensadores y describe a personas perseverantes, benevolentes, comprensivas, generosas, amables. Firmes, van detrás de lo que desean hasta alcanzarlo. Son lentos y tranquilos, pero logran sus metas. Ganadores, innovadores, creativos, soñadores e idealistas con integridad. Se conoce como "el intelectual de los Cinco". Busca el crecimiento y el desarrollo, tiene una visión clara del futuro; sus ideas son vanguardistas e innovadoras. Tipo ideal de artistas, científicos, educadores y grandes pensadores. Su tendencia no es ganar mucho dinero pero su riqueza radica en el conocimiento y la comprensión. Su planeta es Júpiter (estrella de madera). Debe mantener sus raíces en la tierra, como los árboles. Su vitalidad es el crecimiento, su fortuna la sabiduría y su éxito las artes, las ciencias y la educación.

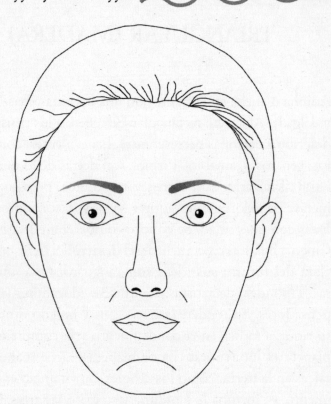

OVALO (METAL)

Redonda, ovalada. Es una forma que propicia la fortuna pues indica que, aunque no se haya nacido en un entorno de alto rango, se puede llegar a posiciones elevadas. Cuando la forma del rostro es oval la persona es muy sociable, puede desarrollarse bien en el mundo de las ventas pues es percibida como confiable e ingenua.

La forma oval pertenece a personas hospitalarias, pacifistas y diplomáticas. Son sensibles a los sentimientos de los otros, sociales y graciosos; nunca llegarían a una fiesta sin llevar algo. Este tipo de cara representa a los asesores de imagen, altos ejecutivos, modelos, directores y funcionarios en ámbitos como la administración y el gobierno. Se relacionan con las artes, poseen gracia y elegancia naturales. Su planeta es Venus (estrella de metal), su vitalidad radica en la gracia y la elegancia, su fortuna en el estatus y su éxito en la administración. Se le conoce como "el oficial".

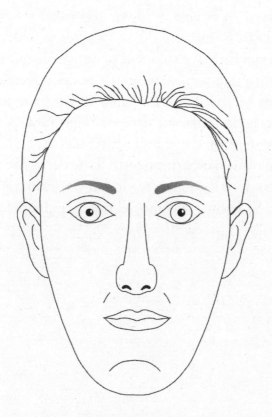

TIERRA (CUADRADA)

El rostro cuadrado indica un temperamento práctico, poco imaginativo, calmado, fácil de sobrellevar; son reservados, callados y tienden a acumular dinero y grandes fortunas. Cuando la forma del rostro es cuadrada refleja una personalidad de líder o atleta. Se convierten en buenos líderes sólo en momentos de crisis. Esta forma es más común en hombres. "Sígueme" es su lema.

Su deseo en la vida es lograr seguridad y estabilidad, tener un lugar y espacio propios. Es agresivo, tenaz y necio; fuerte, tiene una férrea voluntad y consigue lo que desea. Su pensamiento radica en términos de poder y fuerza, manteniendo los pies en la tierra. Jamás da un paso atrás ni se retracta cuando toma una decisión. Tipo ideal para industriales, constructores; mentes y actividades expansivas son su fuerte. Su planeta es Saturno (estrella de tierra). Su vitalidad es la quietud, su fortuna la seguridad y su éxito radica en la industria. Se le conoce como "el tipo siempre práctico".

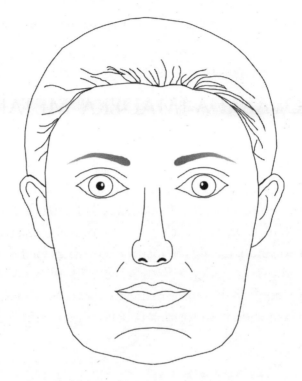

DIAMANTE (MADERA-FUEGO)

Esta forma es angosta en la frente y la barbilla, ancha en la parte de las mejillas. Sobresalen la nariz y la barbilla así como las mejillas; representa a los grandes emprendedores y ejecutivos. Esta combinación resalta la inteligencia y los talentos a emplear de manera efectiva. La persona es competitiva más no materialista. Se asocia con los planetas Júpiter y Marte y los elementos madera y fuego. Su vitalidad radica

en la energía directa, su fortuna en ganar y su éxito en la innovación.

OVALADA (MADERA~METAL)

Esta forma se identifica con los soñadores, parece un círculo alargado. Se asocia con el prototipo clásico de belleza femenina. Combina la forma de madera y la forma de metal, por lo que tiene la gracia y la elegancia pero también la tendencia a vivir soñando. De alguna manera, su vida es fácil durante la juventud y en la madurez. Se asocia con los planetas Júpiter y Venus y con los elementos madera y metal. Su vitalidad es la energía emocional, su fortuna la belleza y su éxito la moda.

FORMA DE CORAZÓN (MADERA~AGUA)

Esta forma se asocia con los románticos. Es adaptable socialmente pero con una buena dosis de dependencia. Su problema es que puede buscar controlar y manipular a otros para que hagan lo que desea en lugar de desarrollar sus propias habilidades. Le falta confianza en sí mismo. Se asocia con los elementos madera y agua y con los planetas Júpiter y Mercurio. Su vitalidad es la manipulación, su fortuna la sociabilidad y su éxito la expresión creativa y la imaginación.

Cinco tonalidades del rostro

COLOR	ELEMENTO	TONALIDAD
Rojo	Fuego	Sanguínea
Negro	Agua	Morena
Verde	Madera	Aceitunada
Blanco	Metal	Pálida
Amarillo	Tierra	Amarilla

CUANDO LA FORMA DE LA CARA y la tonalidad de la piel coinciden en cuanto al elemento, corresponde a un tipo elemental puro en temperamento. Por ejemplo, una cara en forma de pera con tonalidad sanguínea en la piel (fuego). Una cara redonda con tonalidad morena de piel (agua). Una cara triangular con piel en tonalidad aceitunada (madera). Una alargada con piel marfil o pálida (metal). Una cuadrada con piel amarilla o bronce (tierra). Cuando este aspecto de pureza se presenta indica personas exitosas. Tipos mezclados o mixtos pueden ser positivos o negativos de acuerdo con la combinación.

Este efecto de las combinaciones se analiza a partir del ciclo de los elementos. Cuando no coinciden la tonalidad y forma del rostro, se dice que el primer elemento carga al segundo; por ejemplo, en una cara en forma de pera (fuego) con tonalidad amarillenta o bronce (tierra) se dice que el fuego carga a la tierra; en este caso, se mezcla la descripción o las características de la forma de rostro fuego y la forma de rostro tierra para conocer el temperamento elemental. Es importante recordar que la forma de la cara es el factor dominante, la tonalidad es la secundaria.

Como mencionamos, algunas combinaciones son favorables y otras no.

◈ Una cara fuego se apoya con una tonalidad madera y viceversa; se limita con un rasgo elemental agua.

◈ Una cara agua se apoya con una tonalidad metal y viceversa; se limita con un rasgo elemental tierra.

◈ Una cara madera se apoya con una tonalidad agua y viceversa; se limita con un rasgo elemental metal.

◈ Una cara metal se apoya con una tonalidad tierra y viceversa; se limita con un rasgo fuego.

❖ Una cara tierra se apoya con una tonalidad fuego y viceversa; se limita con un rasgo madera.

Además de la tonalidad de la piel, los demás elementos pueden corresponder a un elemento que dominará sobre los otros, esto se considera positivo pues favorece el equilibrio y el balance en el temperamento a lo largo de la vida. Al conocer que se asocia con cada tipo elemental, podremos determinar que tan puro es el elemento en cada rostro, o cuáles otros elementos influyen en el temperamento.

	FUEGO	AGUA	MADERA	METAL	TIERRA
Forma de cara	pera	redonda	triangular	oval	cuadrada
Complexión	rojiza	morena	oliva	marfil bronce	
Piel	seca	humectada	firme	húmeda	gruesa
Cabello	rizado	delgado	lacio	fino	ondulado
Orejas	puntiagudas	regordetas	delgadas, largas redondeadas	grandes	
Ojos	brillantes	luminosos	claros	brillantes	filosos
Rasgos	angulosos	redondeados	alargados	delicados	grandes
Estructura	huesuda	abultada	marcada	definida	musculosa

Resonancia de la voz

ELEMENTO	VOZ
Fuego	Alta y áspera
Agua	Cristalina y clara
Madera	Profunda y absorbente
Metal	Melodiosa
Tierra	Ronca y baja

Una voz ideal es aquella que se escucha clara y fuerte, resonante y melodiosa. La voz endeble y baja representa debilidad, evidencia a una persona indecisa con poca capacidad de obtener lo que desea y manifestar sus habilidades.

Cuando la voz de una persona se origina en la cavidad abdominal indica una voz de alta calidad, evidencia a alguien

con espíritu fuerte, buena suerte y fortuna; que posee la capacidad de resolver los problemas y convertirse en una persona exitosa.

Cuando la voz se origina en la cavidad torácica es de calidad mediocre. Esa persona tiene una suerte que no es ni buena ni mala. No tendrá que preocuparse por casa y comida.

La voz que se origina en la garganta, se considera de poca calidad. Esa persona nunca toma las situaciones en serio y se rinde fácilmente ante las dificultades. Tendrá pocos logros en la vida.

Un hombre con una voz afeminada es de mentalidad estrecha y no es adecuado para trabajos de liderazgo. Se preocupa demasiado por todo y tiene poca vitalidad.

Una mujer con una voz demasiado masculina indica que es una mujer valiente y decidida. Indica mala suerte en el matrimonio. Posiblemente se llegue a casar hasta tres veces para encontrar la estabilidad emocional.

La voz alta es indicativo de buena suerte y buena salud, así como de longevidad. La voz suave o débil indica enfermedades crónicas o demasiadas preocupaciones.

Una voz ronca no es una buena señal, indica que la persona deberá esforzarse para obtener dinero llegando a niveles que afecten su salud.

Una voz débil o frágil en un hombre, indica miedo y cobardía.

Una mujer con voz aguda y molesta indica soledad e incompatibilidad con su marido. Significa que es poco tolerante, miserable y calculadora; egoísta y no comparte nada con los demás.

16

Los cinco elementos y el cabello

EL CABELLO Y EL VELLO en nuestro cuerpo son un rasgo, al igual que la voz, que puede asociarse con un elemento determinado.

Madera	cejas y pestañas
Fuego	cabello
Tierra	vello corporal
Metal	vello nasal
Agua	vello facial, axila, vello púbico

El cabello y la barba representan la energía o el chi cósmico Yin, se asocian con la condición de la sangre en una persona.

Lo ideal es que sea suave y brillante, ni muy escaso ni muy abundante.

- Si el cabello es muy delgado significa que está drenando fuerza del cuerpo, la sangre es débil. Su energía y vitalidad es mínima, puede envejecer prematuramente.

- Si el cabello es áspero, evidencia a alguien impulsivo, activo, agresivo y generalmente de mal temperamento. Es una persona que generalmente obtiene logros a través de su propio esfuerzo. Si es demasiado áspero indica a alguien impulsivo, intempestuoso y un rival bastante complejo.

- Si el cabello es muy delgado y tipo arbusto o muy pesado indica una vida compleja. Si es demasiado abundante, la persona es demasiado susceptible y emotiva y carece de buenos modales.

- Si el cabello es suave, brillante describe a una persona que puede obtener una posición alta y ganar buen dinero. Si el cabello es fino, indica a una persona sensible, artística y creativa. Puede llegar a ser hipersensible y tímida llegando a perder el rumbo para obtener sus metas; sin embargo, es una persona muy inteligente.

- Si el cabello es delgado y liso la persona es banal, superficial y dispersa en el amor, insegura.

- El cabello chino u ondulado evidencia a una persona inteligente, inestable e inconstante.

- La calvicie se considera en China símbolo de riqueza y sensualidad. Indica un alto nivel intelectual siempre y cuando se dé después de los 40 años. Si sucede antes

no es muy positivo y puede significar problemas reproductivos.

◈ Si el cabello es negro y fuerte es indicativo de vitalidad y buena salud. Las canas o el tono gris en la juventud simbolizan demasiada actividad en la vida futura. Si las canas aparecen en la edad media indican éxito y logros. El cabello que se encanece en la edad adulta indica honorabilidad.

◈ Es recomendable que el cabello no invada los oídos ni las sienes ni la frente.

◈ Si la línea del cabello es muy baja en la frente indica a una persona inestable.

Frente amplia   Frente baja

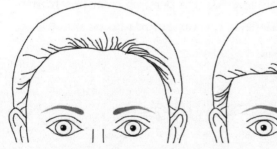 

◈ Si la línea del cabello es dispareja y baja en la frente representa a una persona de personalidad compleja.

◈ Una línea alta del cabello indica una excelente relación con los padres.

❖ Si la línea del cabello es alta y cuadrada indica un matrimonio difícil con tendencia al divorcio

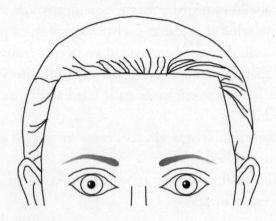

❖ Si la línea del cabello forma un pico en el centro como una "M" indica una persona cariñosa y coqueta. Favorece a la mujer ya que describe una persona creativa y romántica, capaz de manejar fuertes cantidades de dinero.

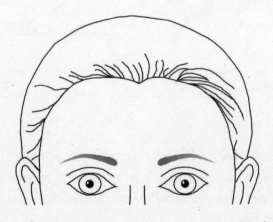

❖ Si la línea del cabello es angulosa indica a una persona con habilidades ejecutivas y recursos para destacar. Esta persona se enfoca en lograr éxito profesional, aun cuando esto signifique sacrificar la vida familiar.

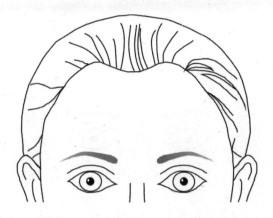

❖ Si la línea del cabello es ovalada indica una persona intensamente sociable y de muy buenos modales.

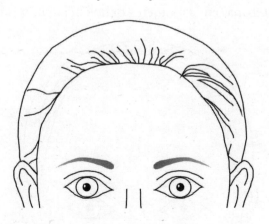

◈ Cuando la línea del cabello retrocede hacia ambos lados de la cara es señal de una persona de mente expansiva.

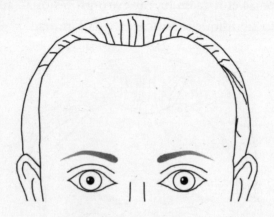

◈ Si la línea del cabello es cuadrada o angular indica una persona que le gusta experimentar con la vida.

◈ Cuando la línea del cabello retrocede en forma de calvicie, en los hombres significa ambición y altos niveles de testosterona, en las mujeres deficiencia vitamínica.

◈ Si el cabello es ondulado, se dice que la persona es impulsiva, temperamental, activa, agresiva, exitosa; se auto emplea o se relaciona con deportes o la milicia.

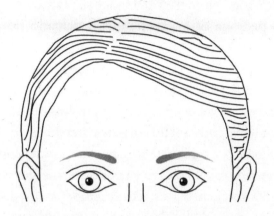

◈ Si es demasiado ondulado, la persona es excesivamente temperamental, con opiniones fuertes y puede ser un oponente o enemigo poderoso.

◈ Si la persona tiene demasiado cabello y el cabello es delgado y erizado (frizz) o muy pesado es indicativo de una vida dura. Si el cabello es demasiado delgado, excesivo en cantidad, la persona es muy sensible, fuerte y agresiva.

◈ Si el cabello es muy delgado indica una persona con poca vitalidad y tendencia a envejecer a temprana edad.

◈ El cabello muy lacio describe a una persona compasiva y poco agresiva.

◈ La presencia de remolinos en el cabello indica a una persona inestable y rebelde.

- Una persona muy delgada con cabello muy delgado es señal de una vida sexual activa y variada.
- Una persona con cabello delgado y rebelde es exitosa y tendrá que pelear para defender sus logros.
- Una persona obesa con cabello delgado no es perseverante.
- La frente debe de estar libre de cabello ya que se considera el reflejo del alma. Las mejillas tampoco deben de tener pelo o vello pues son las puertas del alma.
- Las mujeres con cabello corto son personas de sentimientos abiertos y transparentes así como independientes.
- Mujeres de cabello corto y rizado son inseguras y conservadoras en cuanto a su actitud emocional y de pareja.
- Mujeres con cabello demasiado corto indican que crecieron con poco amor de sus padres.
- Mujeres con cabello largo a la altura de los hombros y ondulado son personas que se preocupan en exceso por su apariencia, parecen elegantes pero son difíciles en las relaciones personales.
- Mujeres con cabello largo y ondulado son amantes de la buena vida y de los lujos. Se fijan demasiado en detalles.
- Mujeres con cabello muy largo y lacio son tiernas, bien intencionadas e inteligentes. Les atrae el amor y la belleza.
- Peinado con raya al centro indica personas honestas, valientes y realistas.
- Personas con peinado de raya a un lado revelan una tendencia romántica.
- Cuando la barba cubre la boca se está limitando la llegada de buena suerte.

- La barba poco poblada indica a una persona incapaz de destacar de manera independiente a pesar de tener suficiente talento.

- Barba demasiado poblada indica a una persona muy activa en cuestiones sentimentales, valiente pero poco cuidadosa.

- Cabello de barba delgado indica a una persona tierna pero llena de dudas e inseguridades.

- El cabello o vello facial suave y brillante significa buena suerte.

- El cabello o vello facial que crece rebelde y disparejo indica mala suerte en la etapa de la vejez.

- Si la persona tiene fosas nasales muy grandes y visibles, dejar crecer el bigote puede ayudarle a retener la riqueza.

- Los niños con cabello delgado y difícil son desobedientes y traviesos.

- La barba se asocia con un escudo protector que esconde aspectos de la persona; se asocia con vitalidad y sexualidad mientras no cubra el área del filtrum.

17

Los cinco elementos y los rasgos

LOS CINCO ELEMENTOS se asocian con rasgos faciales y con órganos del cuerpo y reflejan la fortaleza o debilidad de los órganos y el estado de salud del cuerpo.

El elemento agua se asocia con los riñones. Se analiza o interpreta en las orejas, la línea del cabello, la frente, debajo de los ojos, el filtrum y la barbilla. Cuando se presenta una coloración grisácea o demasiado blanca o pálida es indicativo de que la salud del órgano es frágil. Se pueden presentar problemas. Ojeras muy marcadas, abultadas y oscuras significan que los riñones están en problemas, la persona necesita dormir, beber líquidos y descansar. Cuando se presentan líneas verticales u horizontales debajo de los ojos, significa tristeza acumulada y tendencia a dañar los órganos asociados con elemento agua. Una línea horizontal que atraviesa el filtrum es señal de problemas de infertilidad, menopausia, histerotomía o problemas con próstata y testículos. Si la línea es vertical se interpreta como problemas con uno o más hijos, partos conflictivos y peligrosos.

El elemento madera se asocia con el hígado. Se analiza o interpreta en el hueso de las cejas, las cejas, la esclera de los ojos, la forma de los ojos, la sien, el entrecejo y la quijada. Cuando se presentan líneas en el entrecejo indica problemas fuertes asociados con el hígado. Si en el entrecejo aparece una coloración o tonalidad oscura se interpreta como poca capacidad para controlar el enojo o el exceso y abuso del hígado por drogas o bebidas alcohólicas. Si los ojos se perciben hundidos indican la presencia de depresión. Si los ojos tienen una tonalidad amarillenta reflejan problemas en el hígado. Si las sienes presentan hundimiento profundo y anormal, la interpretación es que la persona está perdiendo el deseo por vivir.

El elemento fuego se asocia con el corazón. Se analiza e interpreta en el brillo de los ojos, en las esquinas de las facciones de la cara, en los agujeros de las mejillas y con la presencia de pecas. Cuando la punta de la nariz presenta líneas verticales indica problemas con el corazón, si esas líneas se encuentran en la parte baja de la punta de la nariz identifican deficiencia cardiaca. Si la punta de la nariz es rojiza indica un corazón inflamado, si la punta de la nariz tiene una coloración negruzca identifica un corazón intoxicado.

El elemento tierra se asocia con el estómago. Se analiza e interpreta en la boca, los labios, el puente de la nariz, a ambos lados del filtrum, bajo los pómulos. Cuando el área debajo de los pómulos es demasiado delgada o afilada indica que el sistema inmunológico está alterado. Si los labios se ven oscuros se asocia con obstrucción intestinal. Si los labios están demasiado rojizos, el intestino se encuentra inflamado. Labios demasiado pálidos o blancos indican que el intestino no tiene vitalidad. Los labios rosados son indicativos de buena digestión. Cuando el área a los lados del filtrum se encuentra muy marcada puede indicar la presencia de úlceras en el sistema digestivo.

El elemento metal se asocia con los pulmones. Se analiza e interpreta en la nariz, en el párpado superior y en los pómulos. El puente de la nariz se asocia con la columna vertebral, si la nariz está desviada significa problemas con la espalda y la columna vertebral.

十殺格

18

Diez signos
que afectan el rostro

1. *Muerte:* manchas negras y oscuras.
2. *Llanto y pesar:* marcas blanquecinas.
3. *Problemas generados por uno mismo:* marcas azuladas.
4. *Enfermedades y poca salud:* manchas amarillentas.
5. *Marcas de hundimiento:* la cara parece excesivamente maquillada con colorete rojo y empastado.
6. *Indulgencia sexual:* la luz o el brillo de los ojos es ansioso e incierto, inestable.
7. *Castigo y encarcelamiento:* apariencia adormilada y alcoholizada.

8.   *Litigios y problemas legales:* cara con sensación de quemada.

9.   *Sufrimiento y tristeza:* voz y gestos afeminados.

10. *Fracaso y cambio de suerte:* manchas en la punta de la nariz.

五嶽四瀆

19

Las montañas
y los ríos en el rostro

En la antigüedad, los chinos asociaron los rasgos de la cara con las cinco montañas sagradas y los cuatro ríos más importantes de China. En el análisis y estudio de Feng shui (el arte chino de interpretar el paisaje y el entorno, así como la astrología y su efecto en el ser humano) el análisis de montañas y ríos es importante. Las montañas se asocian con la energía de estabilidad, solidez y consolidación; mientras que los ríos se asocian con la flexibilidad, la fluidez, las oportunidades y las sensaciones. Los rasgos se asocian con las montañas y los ríos, y la cara con el terreno.

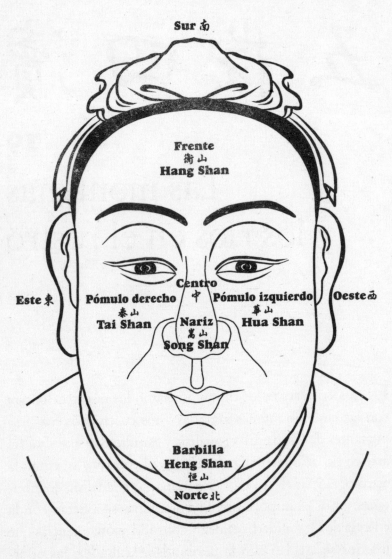

Las montañas del rostro son la frente, nariz, mejillas y la barbilla. Se recomienda que estos rasgos sean prominentes (Yang) pues se traducirá en éxito material. En esta filosofía china se considera importante que una montaña tenga respaldo de otras montañas para obtener apoyo en cuestiones de consolidación y estabilidad, por lo que los rasgos prominentes son favorables.

Los ríos son aquellos donde existe humedad: orejas, ojos, fosas nasales, boca. Lo recomendable es que se vean humectados.

Rasgos angulosos   ⟶   Energía, raciocinio, constancia.

Rasgos curvos   ⟶   Imaginación, sensibilidad y dulzura.

Las montañas: son las estructuras óseas asociadas con la energía cósmica y activa Yang, por lo que se analizan en el rostro para interpretar el éxito que la persona logrará en la vida. Si sólo una es prominente el balance no estará presente en dicha persona.

Las montañas del rostro representan el carácter, el poder, la riqueza y la fortaleza.

La frente: el sur, la inteligencia y la ambición. Hang Shan. Si hay cicatrices en esa área indica alejamiento del país de origen o del lugar de nacimiento o de la casa para salir adelante entre los 15 y los 34 años.

La barbilla: el norte, logros y éxitos. Heng Shan. Redondeada y fuerte es positivo ya que representa riqueza y fama a través del esfuerzo propio. Puntiaguda y delgada indica pobreza entre los 70 y 100 años. La barbilla indica la fortaleza de una persona, sobre todo asociada con la tenacidad para obtener lo que se propone. Una barbilla metida o carente indica falta de voluntad y tenacidad. Una barbilla puntia-

guda y alargada habla de una persona dominante en exceso con tendencia a la soledad.

La nariz: el centro, riqueza y liderazgo. Song Shan. Puede promover buena salud y buena suerte si la nariz es recta y fuerte, prominente. Una nariz plana indica falta de camino, de metas y de propósitos en la vida de una persona.

Las mejillas: el este y el oeste, poder. Hua Shan y Tai Shan. Bien desarrolladas y bien formadas indican una persona nacida para dirigir y guiar a los demás.

Las cinco posturas del cuerpo y la cabeza

LA FUERZA VITAL, CHI, de las personas es evidente al observar la postura de espalda y cabeza. Esta postura depende de varios factores; entre ellos, problemas en la vida, fracasos, triunfos, salud o sentimientos de alegría y tristeza. Sin embargo, el porte es una señal de la fuerza vital y se asocia con el modo de llevar la cabeza y modular la voz.

El cuello es el pedestal, la cabeza es el sol, debe de estar levantada.

La posición de la cabeza se asocia con el éxito en la vida.

PRIMERA POSICIÓN

La posición cabizbaja es una postura de la cabeza y la espalda relacionada con la fatiga y la falta de vitalidad, causada por algún problema personal. Denota derrota y baja autoestima.

SEGUNDA POSICIÓN

Cuando decimos: "Es una persona altiva", señalamos una postura típica que denota fuerza vital y éxito. El cuello recto y la cabeza levantada sobre el cuello firme.

TERCERA POSICIÓN

Es una postura que mantiene la cabeza hacia un lado, o uno de los hombros mas caído que el otro. Esta postura denota, entre otras cosas, desequilibrio en la personalidad y personas que ocultan aspectos de su ser.

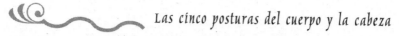

CUARTA POSICIÓN

Ésta es una postura donde la cabeza parece estar hundida entre los hombros. Esta posición puede indicar: pereza, falta de iniciativa e incapacidad para tomar decisiones.

QUINTA POSICIÓN

La quinta posición es la más importante, se puede adoptar cuando la persona utiliza su intención y conciencia. Todas las posiciones son consecuencia de las experiencias de la vida y sus efectos sobre el ser. La cura o solución trascendental es crear el hábito de ejercer siempre la quinta posición que es representativa de la fuerza creadora universal, chi; con ella se favorece la armonía, para realizarla es necesario mantener la cabeza erguida, descansada sobre la nuca y apoyada en la columna que estará recta, la mirada se dirige al horizonte y la corona apunta al cenit, trazando una línea perpendicular que nos conecta con lo infinito del universo.

五官

Cinco oficiales del rostro

LOS CINCO RASGOS MAYORES SON OJOS, OREJAS, BOCA, NARIZ Y CEJAS

Los CINCO OFICIALES se relacionan con la buena suerte, la prosperidad y el éxito en la vida, y determinan el potencial personal para alcanzarlos. Un oficial con buena calidad; es decir, un rasgo adecuado, representa diez años de buena suerte.

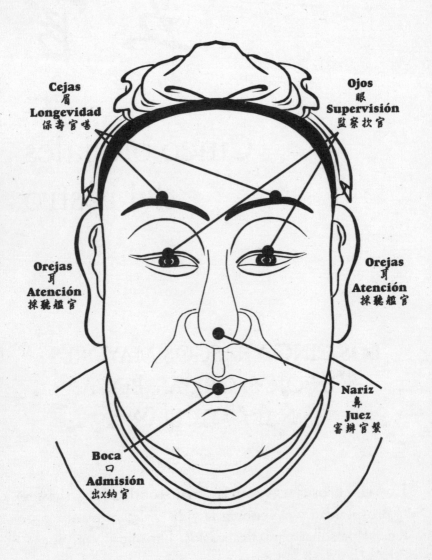

Cejas
眉
Longevidad
保寿官嘗

Ojos
眼
Supervisión
监察扙官

Orejas
耳
Atención
採聽艦官

Orejas
耳
Atención
採聽艦官

Nariz
鼻
Juez
審辯官鑒

Boca
口
Admisión
出x納官

OREJAS: OFICIALES DE ATENCIÓN

Representan el respaldo familiar. Se asocian con la habilidad de recibir información y simbolizan el potencial de vida de la persona. Lo ideal es que sean firmes y flexibles.

Las orejas se interpretan para obtener información sobre la infancia de una persona y la educación que recibió en dicha etapa.

Se consideran de gran importancia pues es en la niñez cuando se establece la influencia y las herramientas que la persona tendrá durante su juventud y madurez para desarrollar su potencial personal, así como sus habilidades para obtener logros y éxito en todos los ámbitos de su vida.

Al analizar las orejas se puede interpretar esa información para revelar tendencias y actitudes durante la edad adulta.

Su color planetario es blanco por lo que es recomendable que sean más claras que el resto de la cara.

Las orejas son consideradas un río dentro de los rasgos faciales, por lo que es adecuado que se perciban humectadas, no es buena señal que su apariencia sea seca o descamada ni con tonalidad rojiza o negruzca. Si las orejas están muy rojas evidencian a personas de mal temperamento. Si la tonalidad es grisácea u oscura indica falta de vitalidad y pocas metas en la vida.

Las orejas se analizan según el tamaño, forma y posición con respecto a las cejas, firmeza y qué tan pegadas o despegadas están de la cabeza.

Las orejas se forman de tres partes: el borde externo, el borde interno y el lóbulo.

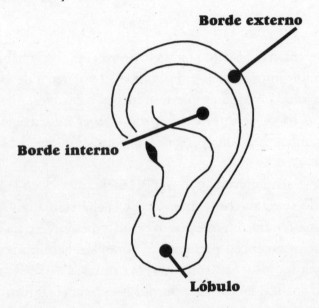

La posición de las orejas

Las orejas ubicadas en posición más alta que las cejas indican personas inteligentes que obtendrán éxito en la juventud. Si las orejas están en esta posición y son largas, hasta debajo de la base de la nariz, indican que la persona mantendrá el impulso y el éxito de la juventud hasta la vejez.

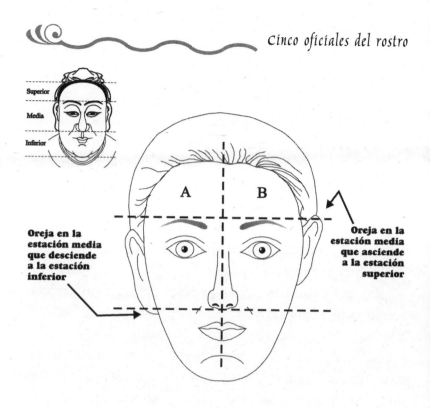

Superior

Media

Inferior

A   B

Oreja en la
estación media
que desciende
a la estación
inferior

Oreja en la
estación media
que asciende
a la estación
superior

Las orejas ubicadas por debajo de las cejas indican que el éxito llegará hacia la madurez. Llevan consigo la promesa del éxito, son consideradas entre las personas más exitosas del planeta, tienen logros en lo profesional y son capaces de lidiar con varias responsabilidades. Si se llegan a extender en largo hasta por debajo de la base de la nariz significa que el éxito continuará hasta la vejez y asegurará buenas provisiones para su última etapa de vida.

Las orejas ubicadas en posición muy baja con respecto a las cejas indican una persona exitosa en la vejez. Durante su vida temprana son personas que no se esfuerzan demasiado y que prefieren que los demás trabajen por ellas. Un hombre con este tipo de posición de orejas dejará que su esposa se

encargue de los gastos y de su vida; es decir, que lo mantenga y se haga cargo de él. Una mujer con esta posición de orejas indica a una persona poco interesada en desarrollar una carrera profesional y que es dependiente o busca depender económicamente de una pareja y en la vejez de sus hijos.

El tamaño de las orejas

Lo más recomendable es que las orejas sean grandes y alargadas, bien formadas y firmes.

Las personas con orejas grandes denotan un carácter equilibrado, idealistas y alcanzarán posiciones importantes a lo largo de su vida; toman y corren riesgos. Desarrollan un buen respaldo en educación y preparación, son consideradas eruditas. Durante la vejez, que se representa en la tercera división, obtendrán un grado notable de conocimientos.

Las personas con orejas pequeñas denotan un carácter precavido, prudente y sensato. Su potencial de vida puede ser limitado; sin embargo, si están bien formadas indican un buen estilo y nivel de vida, una vida más planeada y estructurada que aventurada e innovadora. Si las orejas son pequeñas y no están bien formadas indican que la persona vivirá muy limitada en lo que a su propio potencial se refiere, encontrará constantes contratiempos durante su vida para obtener éxito y desarrollo.

La textura de las orejas

Si la textura de las orejas es delgada y translucida, indica salud delicada, además de poca fortaleza personal.

Si la textura de las orejas es fuerte con cartílago firme indica tendencia a rigidez emocional.

Si detrás de las orejas se presentan huesos sólidos o protuberantes se considera de muy buena suerte.

Orejas con lóbulos pequeños

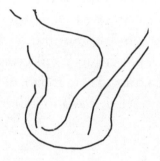

Esta forma de oreja denota personas que desarrollan notable eficiencia en los círculos sociales, ventas y relaciones públicas. Personas con impaciencia por vivir en el presente, dejan ir las cosas rápidamente.

Orejas con lóbulos grandes

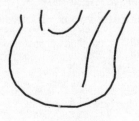

Estas personas destacan por su notable facultad de juicio e imparcialidad. Si las orejas están bien formadas evidencian una personalidad extrovertida, deseosa de hacer el bien y ayudar a sus semejantes. Son personas sabias.

Si los lóbulos de la oreja están pegados a la cara, se trata de personas atadas emocionalmente a la familia de nacimiento.

Los lóbulos de la oreja despegados de la cara describen a personas cercanas a algunos miembros de su familia, pero con tendencia a hacer que sus amistades sean su familia.

Si los lóbulos son delgados indican a una persona que no disfruta al cien por ciento los placeres de la vida.

Si el lóbulo, en tonalidad es rojizo, describe una persona muy apasionada. Si es demasiado pálido significa falta de deseo e ilusión.

Forma de la oreja

Cuando la oreja es más ancha en la parte superior describe a una persona capaz de afrontar y resolver riesgos mentales y financieros.

Cuando la oreja es más ancha en la parte media describe a personas capaces en cuestiones de riesgos físicos.

Cuando la oreja es más ancha en la parte inferior describe a una persona muy capaz en cuestiones asociadas con asuntos de seguridad.

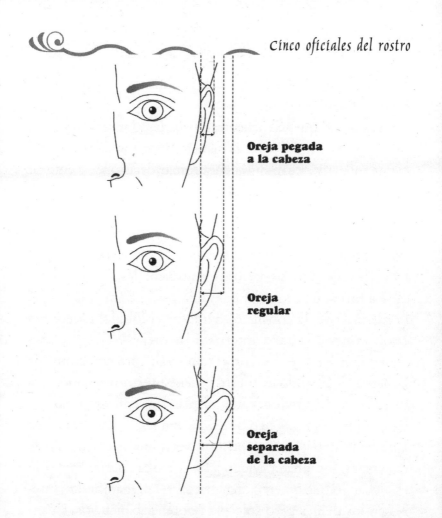

Oreja pegada a la cabeza

Oreja regular

Oreja separada de la cabeza

Otro tipo de orejas que están separadas de la cabeza y se conocen como orejas tipo alas, evidencian personalidades despreocupadas. Este tipo de actitud se manifiesta a menudo en las relaciones personales. Falta de constancia, fidelidad y conducta perezosa.

Se consideran buenas orejas aquellas que no se ven de frente al observar el rostro. Este tipo de orejas responden a personas nobles, obedientes y disciplinadas a diferencia de las orejas tipo ala.

Las orejas que se encuentran pegadas al rostro indican a una persona prudente en el manejo de su vida, con la suficiente iniciativa y sabiduría para tomar decisiones y enfocar adecuadamente su potencial de vida.

Las orejas que están despegadas del rostro, sin ser orejas tipo ala, describen a una persona fácil de sobrellevar, un poco irresponsable, con tendencia a perder cosas y que disfruta de tener varias relaciones sentimentales.

La forma de las orejas se evalúa por el borde externo, el borde interno, la concha o cavidad y el lóbulo. La concha corresponde a la parte interna de la oreja.

La concha se asocia con el temperamento emocional de la persona. Cuando es fuerte y tiene un color rosado, está bien formada y redondeada, ni plana ni convexa o abombada representa un buen potencial emocional, una persona agradable con gracia y buenos sentimientos. Cuando la concha es abombada evidencia a personas necias que sólo escuchan lo que quieren escuchar; activas, manifiestan interés en los demás pero sólo para obtener beneficios. Cuando la concha es plana indica a una persona poco sociable que reprime y controla sus emociones y le cuesta trabajo comunicarse.

Cuando la curva pequeña de la oreja cercana al lóbulo, es amplia indica a una persona que le gusta la aventura y es de mentalidad abierta.

Cuando la curva es delgada y angosta indica a una persona amable y conservadora.

Si el borde exterior es irregular o con bordecitos como mordidos, indica que la persona tuvo conflictos durante su infancia. Esto se puede asociar con problemas económicos o sentimentales vividos por los padres en esa etapa de la vida del niño o la persona. La persona se manifiesta irresponsable y desconsiderada hacia los demás. Indica a una persona injusta.

Si el borde externo es redondeado, forma una perfecta curva sin marcas ni deformaciones y es firme, señala que la persona tiene vitalidad, sabiduría y es compasiva; tiene un fuerte potencial de vida.

Si el borde externo es delgado y demasiado rojizo describe a una persona más interesada en los placeres físicos que en el desarrollo mental, le interesa más lo mundano que el desarrollo espiritual y la satisfacción intelectual.

Si es demasiado delgado y descolorido describe a una persona egoísta que utiliza a los demás para obtener beneficios personales.

Si es afilado en lugar de redondeado o curvo describe a una persona oportunista, injusta hacia los demás, desconsiderada y poco leal.

El vello en la oreja representa problemas de impotencia sexual en el hombre.

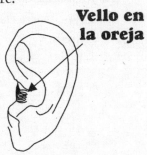

Vello en la oreja

- Orejas redondeadas, cóncavas: a la altura de las cejas indican inteligencia y altas posiciones en la vida. El éxito llegará a temprana edad.

- Orejas planas bien formadas: poder, autoridad, riqueza, honor y éxito.

- Orejas amplias y protuberantes, amplias en la parte superior: riqueza, inteligencia, larga vida. Talento artístico y estético.

- Orejas puntiagudas: inteligencia, rapidez, riqueza y éxito en la madurez de la vida. Activos, independientes, temperamentales, caprichosos y desconfiados.

- Orejas gruesas y con el lóbulo hacia los labios: apoyos externos, facilidad para obtener alto rango en el gobierno, aman la comida y el sexo, románticos y atractivos.

- Orejas largas con lóbulos largos: persona sabia con oportunidad de vivir una larga y fructífera vida. Fundamenta su vida en el respeto y el honor. Sabe escuchar. Será una persona reconocida, respetada y escuchada.

- Oreja larga con concha abombada: no se conforma fácilmente, aventurero, sociable, interesado en lo colorido de la vida. Su éxito está en los asuntos sociales. Sofisticado.

- Oreja pequeña y bien formada: conformista. Buscador de seguridad y estabilidad, no corre riesgos. Persona graciosa y artística, suave y amable.

眼

OJOS: OFICIALES DE SUPERVISIÓN O VIGILANTES

Los ojos perciben y juzgan todas las situaciones, decodifican el mundo exterior y son las ventanas del alma. Hablan de los sentimientos y se les considera el rasgo más revelador del rostro. Representan la energía interior, se asocian con inteligencia, creatividad y vitalidad. Son considerados ríos pues producen humedad.

El ojo izquierdo representa la energía cósmica Yang masculina, creativa y social. Se le conoce como la estrella del sol y representa al padre. El ojo derecho representa la energía cósmica Yin femenina, receptiva, pasiva, maternal. Se le conoce como la estrella de la luna y representa a la madre.

Al analizar los ojos se debe de observar el tamaño, la posición, el brillo, las pestañas, los párpados y las líneas.

Ojos hacia arriba

El borde exterior de los ojos hacia arriba tiende a revelar una personalidad impulsiva y de carácter muy emocional. Pueden llegar a ser populares y exitosos. Persona muy curiosa. Para controlar la impulsividad de carácter, se recomienda frotar las palmas de las manos nueve veces, y frotarlas después en los ojos, entre la frente y la nariz. Dar masajes con las manos, frotándolos no menos de nueve veces, hacia arriba y hacia abajo.

Ojos hacia abajo

Cuando el borde exterior de los ojos se inclina hacia abajo y la mirada no se dirige directamente a los ojos del otro, es señal de una persona arrogante. Vigile las señales de los ojos cuando interactúe con otras personas, pues este rasgo es característico de alguien a quien nada le es suficiente y suele ser desconsiderado con los demás. Es egoísta y busca obtener ventaja de todas las situaciones.

Si la mirada es hacia abajo, pudiera denotar una personalidad modesta o pretender humildad para ocultar otras intenciones. Este tipo de mirada puede esconder traiciones si los movimientos de los ojos son inestables. Indican intenciones escondidas.

Si el movimiento de los ojos tiende hacia un ángulo lateral, observe con cuidado, pudiera representar una personalidad arrogante, con intenciones engañosas.

Si el movimiento de los ojos es excesivo y presenta parpadeo constante: inseguridad, problemas para terminar lo que se empieza, escepticismo y falta de sinceridad.

Posición y tamaño

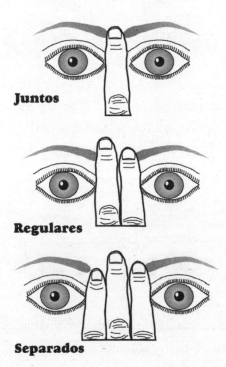

Juntos

Regulares

Separados

Juntos: racional, concreto, cínico, positivo, voluble, inseguro, distante, desinteresado, apático, triste, franco.

Separados: egoísta, avariciosa, indiferente, poco prejuiciosa, impositiva, no acepta las ideas de los demás, intolerante, irritable, egocéntrica.

Pequeños: inteligente, emprendedor, intuitivo, agudeza de espíritu. Utiliza a los demás en su beneficio, sobresaliente. Persona analítica y fría, que escrutina a detalle las situaciones.

Grandes: imaginativo, versátil, sensual, susceptible, inseguro, observador, voluble, impulsivo, soberbio. Absorben los sentimientos de los demás, ingenuo e inocente.

Ovalados o almendrados: sensible, inteligente, cruel, astuto, frío, concreto, insatisfecho, aburrido, escéptico, egoísta.

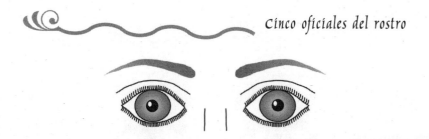

Redondos: imaginativo, emotivo, susceptible, calmado, reflexivo irascible, romántico, alejado de la realidad, idealista, sensato.

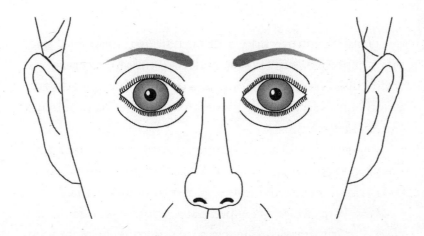

Saltones: introvertido, complejo, apático, vivaz, racional, imaginativo, disparatado. Si la persona está comprometida con un proyecto puede dar lo mejor de sí en el ámbito profesional. Impulsivo, habla antes de pensar, reacciona rápido ante los problemas.

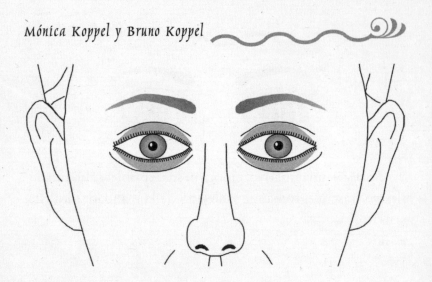

Hundidos: introvertido, autista, reflexivo, melódico, poco vital, depresivo, susceptible. Indeciso, tímido, reservado, se le dificulta la comunicación. Falta de valor. Necesita dulzura y decisión. Reacciona de manera pasiva ante los problemas. Sufren fácilmente.

Angostos: detallista, de temperamento y reacciones rápidas. No esconde sus sentimientos y le gusta terminar las cosas rápidamente. Muestra sus sentimientos en la cara.

Grandes con iris grande: expresa sus sentimientos de manera clara. Un iris grande evidencia a una persona inocente y noble, de ingenuidad infantil.

Pequeños con iris pequeño: significan que la persona protege sus sentimientos y emociones. El iris pequeño evidencia egoísmo y rencor.

Alargados (tipo oriental): personas de actitudes y reacciones lentas. Son personas amables y fáciles de sobrellevar. Les gusta el romance y tienden a enamorarse con facilidad.

Triangulares: la persona perderá constantemente dinero por fraudes y manejo ilegal, entre los 35 y 36 años. Son propensos a las pérdidas económicas. Reservan mucho enojo para con la vida.

Color

Oscuros: astucia, sensualidad, nerviosismo, voluptuosidad, voluntad, raciocinio, vitalidad.

Azules: ambición, inquietud, falsedad, practicidad, egoísmo, debilidad, reserva, fantasía y naturaleza alegre.

Verdes: irritabilidad, sensualidad, benevolencia, generosidad, dedicación, valor e inteligencia; naturaleza misteriosa e intelectual.

Grises: falsedad, paciencia, practicidad, optimismo, coquetería y entusiasmo.

Violetas: calidez y carisma.

Si el iris tiene puntitos de diversos colores indica a una persona poco amistosa aunque de buenos sentimientos, a la que se le dificulta alcanzar sus metas.

Si el iris presenta líneas de un color diferente evidencia a una persona ruda y poco amistosa.

Es recomendable que la parte blanca del ojo sea muy blanca, si presenta tonalidades amarillentas, rojizas o grisáceas significa poca vitalidad y mala salud en órganos como el hígado, los pulmones y el corazón. Un matiz azul en lo blanco del ojo indica a una persona mística, espiritual e intuitiva. Un lunar, en cambio, indica a una persona de carácter inestable que puede perder propiedades, dinero e inversiones.

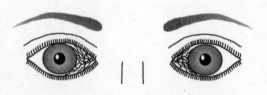

La presencia de vasitos capilares rojos en lo blanco del ojo indica a una persona ruda y terca. Se verá envuelta en pleitos durante toda su vida.

La presencia de una línea roja que comienza en la esquina exterior del ojo y se dirige hasta el iris es señal de que la persona está en riesgo de desastre. Si esta línea va desde la pupila o pasa sobre ella y se dirige hacia el lagrimal, quiere decir que la persona sufrirá un incidente peligroso.

Brillo

Es recomendable que los ojos tengan una apariencia húmeda y luminosa pues significa que las energías cósmicas Yin y Yang están en equilibrio. Si los ojos son muy brillantes significa que la persona no tiene control sobre sus emociones y puede salir de sí con facilidad. La mirada opaca corresponde a alguien con falta de vitalidad y energía, poco creativo e inteligente. Si la mirada es muy brillante y vibra significa que es inestable y no controla sus impulsos.

Posiciones del iris en los ojos

Iris flotante hacia arriba. Indica inestabilidad emocional. Tiene un fuerte deseo de ganar siempre y hará lo que sea por obtener lo que desea, actitud que atraerá más enemigos que amigos. Cede con tal de mantener o tener amor.

Iris flotante hacia abajo. Denota tendencia a la crueldad, perversión y violencia. Tienden a tomar el camino equivocado en la vida.

Iris flotante en el centro del blanco de los ojos (se ve lo blanco por arriba y por debajo del iris).

Denota una personalidad excitable con tendencias a la violencia y a generar conflictos. Mal temperamento, apetito sexual insaciable.

Iris equilibrado. Cuando el iris del ojo apenas roza los párpados denota equilibrio interior y exterior.

Iris cruzado. Cuando el iris del ojo se acentúa hacia los bordes internos del ojo (la nariz). Persona con poca salud y convivencia con sus padres, abandono por parte de ellos.

Párpados

Hundidos: curioso, atento, franco, espiritual, entusiasta, optimista.

Poco hundidos: reservado, escéptico, prudente, egoísta, cruel.
Párpado superior horizontal: egoísta, hábil y calculador.

Párpado superior bajo: astuto, práctico, materialista, soberbio, poco modesto.

Párpado superior carnoso: avaro, astuto, tímido, reservado, diplomático, meticuloso, concentrado.

Párpado inferior bajo: débil, melancólico, tímido.

Párpado inferior levantado: cortés, sensual, dulce, amable, dócil.

Párpados amplios: orgulloso, ambicioso, perfeccionista. Son personas que pueden parecer individualistas.

Párpados angostos: buenos para guiar a otras personas, trabajan bien en equipo, amables.

Párpado caído: significa que la persona tuvo un padre o madre muy críticos

Párpados inclinados: justo, objetivo, capaz de ver y tomar en cuenta los puntos de vista de los demás

Líneas

Una línea horizontal sobre el párpado superior es normal y le da profundidad y dimensión al ojo. Si no está presente indica una persona materialista y visionaria. Si hay más de una línea horizontal (formada por el pliegue o doblez) tanto en el párpado superior e inferior, es evidencia de alguien observador, analítico, de actitudes sospechosas e intenciones ocultas.

LAS PESTAÑAS

Cuando las pestañas son largas indican corazón suave y sentimental, sensible y espiritual.

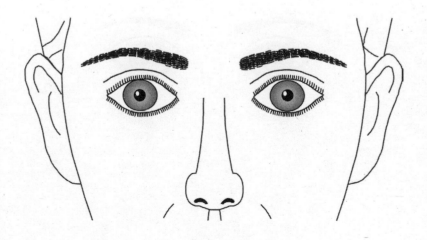

Cuando las pestañas son cortas indica a una persona de carácter fuerte y temperamental.

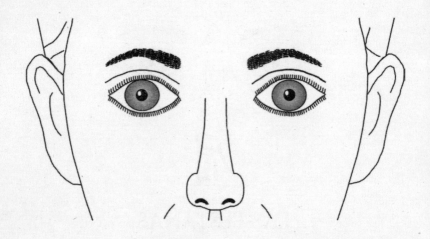

Delgadas y escasas indican a una persona inactiva, apática y con problemas circulatorios.

Las esquinas interiores de los ojos

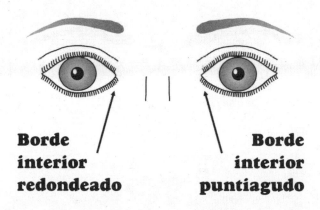

Borde interior redondeado

Borde interior puntiagudo

Los bordes interiores incluyen el lagrimal, si son puntiagudos indican a una persona muy aguda y directa, escéptica. Si son redondeados indican a una persona crédula y confiada, deja que las heridas emocionales del pasado crezcan y dominen sus emociones.

Los ojos gobiernan la suerte de la persona entre los 35 y los 40 años. En ellos se puede interpretar la actitud de ética, inteligencia, decisión, salud y suerte. Los ojos indican si una persona es de buenos o malos sentimientos.

Una mirada fuerte, directa, centrada en el ojo con blanco a los lados, indica una persona decidida, inteligente, capaz, energética y saludable sin importar la forma que tenga el ojo.

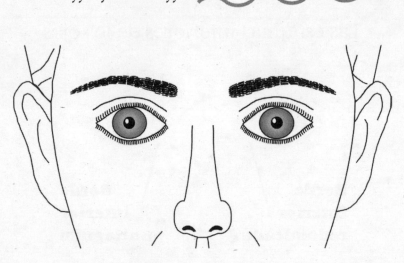

Una mirada débil con el blanco de los ojos opaco, de apariencia adormilada indica a una persona indecisa, con poca buena suerte, incapaz de resolver problemas. Poco saludable y que padece enfermedades constantes de los órganos internos.

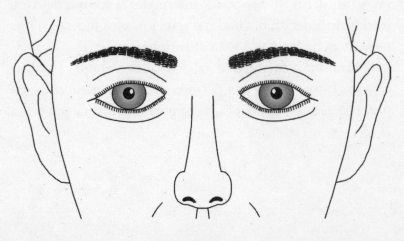

Una mirada demasiado húmeda es mala señal en el caso de las mujeres. Se interpreta como una necesidad por sentirse querida por lo que su vida amorosa es inestable. Una mirada de este tipo puede ser señal de divorcio a menos que la persona se case después de los 30 años. Para los hombres, este tipo de mirada genera escándalos indecentes y problemas legales.

Los ojos se ubican en la división trinitaria que corresponde al hombre, o a los humanos, por lo que tienen fuerte influencia en la vida de las personas en la edad media o madura.

Aquellas personas con un buen esquema de ojos disfrutarán de buena suerte entre los 35 y los 40 años. La suerte de los ojos tiene fuerte influencia entre los 37 y los 38 años. Quienes tienen un mal esquema de ojos, atravesarán situaciones difíciles y duras en esas edades sobre todo en inversiones, manejo monetario, reputación; y pueden experimentar relaciones conflictivas con la pareja.

La forma de los ojos afecta o indica el pensamiento y comportamiento de la persona.

Debajo de los ojos, en el párpado inferior, se interpreta la tristeza en una persona. Si se presentan círculos oscuros indica a una persona que ha acumulado decepción y tristeza a lo largo de su vida así como deshidratación por problemas de sueño. Si hay hinchazón indica llanto retenido, la persona necesita llorar y limpiar sus sentimientos.

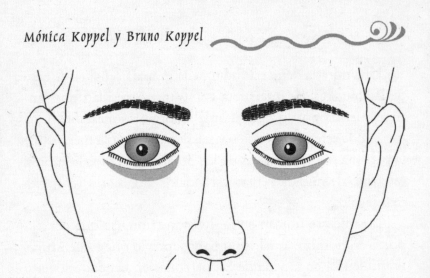

Las patas de gallo debajo del párpado se vinculan con las relaciones sentimentales. Esta línea comienza debajo de la bolsa del ojo y se extiende hacia el exterior del ojo. Cuando se presenta, evidencia a una persona cazadora de amor y de relaciones sentimentales. Personas muy coquetas y atractivas para el sexo opuesto.

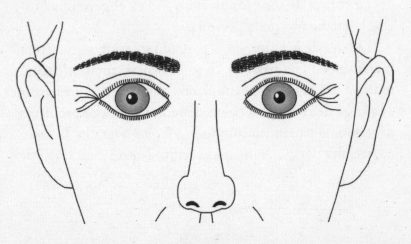

Palacio del matrimonio
夫妻宫

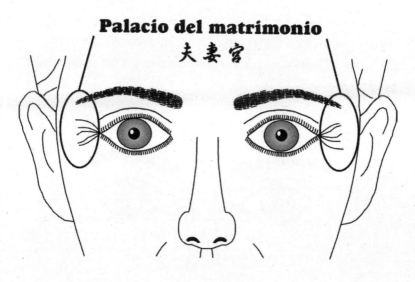

En China, a la patas de gallo, se les conoce como "cola de pescado" por la semejanza que presenta dicha forma con el ojo humano.

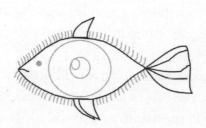

Los ojos desequilibrados; es decir, uno más alto que el otro, indican que la persona vivirá suerte inestable entre los 35 y los 40 años. Atravesará problemas matrimoniales en esa etapa.

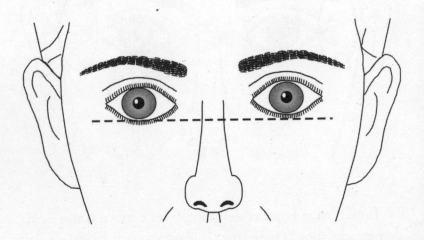

Si la persona duerme con los ojos ligeramente abiertos indica que no es compatible con su pareja y tendrá mala suerte en la vejez.

La presencia de un lunar en el borde interno del ojo indica a que la persona es altamente sexual. Tendrá problemas con su pareja especialmente a los 32, 35 y 36 años.

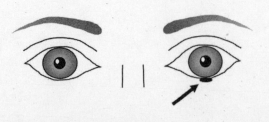

La presencia de un lunar en el borde exterior del ojo, en el palacio del matrimonio, indica que la persona no es compatible con su pareja y tiende a divorciarse. Mala suerte en el amor entre los 35 y los 41 años.

Un lunar en el párpado superior indica que la persona no recibirá herencias económicas por parte de la familia.

Un lunar debajo del lagrimal se refiere a la relación con los hijos. Si se encuentra debajo del ojo izquierdo se interpreta como incompatibilidad con los hijos, debajo del derecho con las hijas.

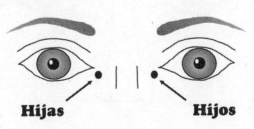

Si la persona presenta manchas oscuras debajo del ojo o líneas cruzadas como una red indica problemas de fertilidad.

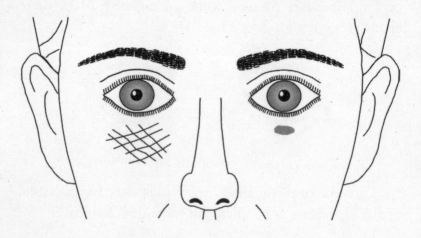

La presencia de una línea oscura que conecta ambos ojos significa que la pareja se verá envuelta en adulterio. Si esa línea es delgada no se refiere a adulterio sino a dolores de cabeza constantes para la persona.

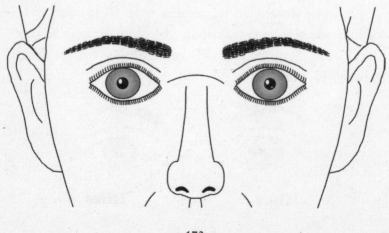

La presencia de una pequeña mancha oscura a un lado del borde exterior del ojo indica que la persona está atravesando una situación de discusiones y pleitos con su esposo o esposa. Si es en el ojo izquierdo se refiere al esposo, en el derecho a la esposa; es decir, observa el ojo izquierdo del hombre para saber si está teniendo discusiones fuertes con su esposa y viceversa. Si el puente de la nariz entre los ojos está hundido se interpreta como problemas matrimoniales fuertes entre los 35 y los 41 años que pueden llegar al divorcio.

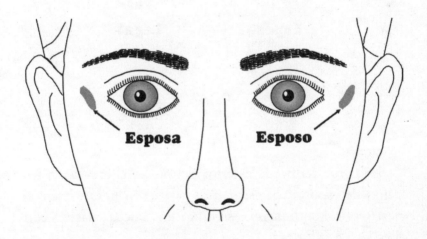

Un hombre que tiene un lunar en la esquina exterior izquierda del ojo es propicio a los problemas legales. Si el lunar es en el borde exterior derecho indica que su esposa padecerá problemas de salud asociados con la parte baja del cuerpo (ginecológicos) o problemas de riñones.

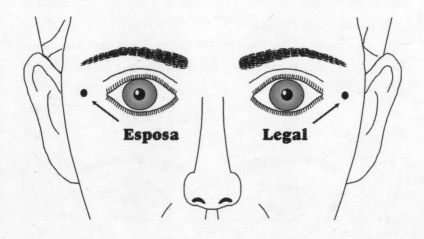

La parte del borde exterior del ojo es el área de la relación de esposos. Si estas áreas no tienen líneas, lunares, cicatrices o hundimientos significa una buena relación con el esposo o la esposa.

LA NARIZ: EL JUEZ

Simboliza integridad, seguridad e identidad. Indica cómo te ves a ti mismo, en ella se observa la capacidad para generar dinero y para distribuirlo. Representa los logros en la edad media (madurez). La nariz se considera una montaña en el rostro por lo que representa aspectos de estabilidad y consolidación. En la lectura e interpretación del rostro simboliza la riqueza y los logros profesionales, así como la habilidad para obtener oportunidades de crecimiento y de acumular y gastar el dinero.

Una nariz prominente es señal de éxito y riqueza.

Al analizar la nariz, también se interpreta la relación matrimonial y la vida familiar.

La nariz corresponde a un punto planetario y a los catorce meridianos principales del rostro, por lo que tiene mucho que ver con la estabilidad que se logra en la madurez. El color ideal de la nariz es el rosado, de acuerdo con el planeta que la rige (Saturno). Con respecto a los órganos del cuerpo, en la nariz se manifiestan los pulmones y el órgano sexual masculino.

Para interpretar la nariz de una persona se debe considerar su tamaño, si es prominente, su soporte y color.

Grande: voluntad, perseverancia, originalidad. Potencial de gran ego, ambición y poder, son personas con una fuerte necesidad de hacer de este mundo algo mejor. Solitarios.

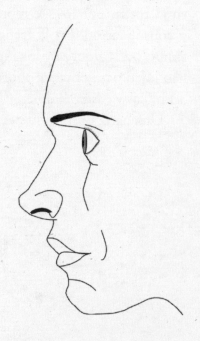

Pequeña: debilidad, indolencia, volubilidad, persona jugueto- na que busca una vida fácil. Gregarios.

Para determinar el soporte de la nariz hay que obser- var si los otros rasgos o montañas la apoyan; es decir, si la frente es fuerte y prominente, lo mismo que las mejillas y la barbilla. Es de buena suerte que la nariz sea la montaña más prominente del rostro pero es mejor si está respaldada por el resto de las montañas. Si la nariz es el único rasgo prominente de la cara, pierde valor en lo que se refiere a las características que le corresponden.

Si la nariz es rojiza, evidencia a una persona extravagan- te, carente de paciencia y tolerancia hacia los demás.

Si la nariz es muy pálida, sobre todo si el puente es blan- quecino, manifiesta falta de vitalidad y enfermedades.

Si la nariz presenta tonalidad grisácea indica padecimientos físicos, si el matiz es verdoso indica abandono. Si presenta un tono púrpura indica una promoción o avance profesional. Si la nariz tiene un matiz brillante, sin caer en grasoso, promete prosperidad y éxito económico para la persona.

La nariz se forma de cuatro estructuras importantes: la raíz, el puente, la punta y las fosas nasales.

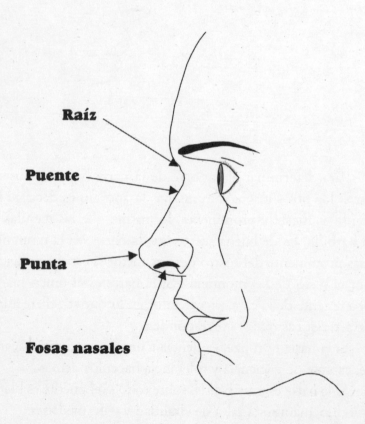

Se recomienda que la raíz o base de la nariz sea clara y suave, que tenga un color rosado para asegurar la vitalidad necesaria y el éxito. Si la raíz se encuentra rasposa indica obstáculos en la carrera y niñez con mala salud, así como constantes problemas domésticos.

La parte media del hueso de la nariz corresponde al puente, se recomienda que sea recto para buena salud y vitalidad además de oportunidad para obtener un buen desarrollo de las capacidades personales. Si es delgado o huesudo indica que la persona es demasiado crítica consigo misma para sobresalir y destacar en el trabajo y en la vida familiar. Una callosidad o protuberancia en el puente agudiza la actitud de autocrítica de la persona. Si el puente es plano indica que la persona tendrá que trabajar durante toda su vida para poder tener un nivel medio de estilo de vida. Si el puente de la nariz está chueco indica que la persona tiene desviada la columna vertebral. Si el puente tiene un crecimiento mayor hacia la izquierda indica una mala relación con el padre. Si el crecimiento es mayor hacia la derecha la mala relación y la incompatibilidad es con la madre.

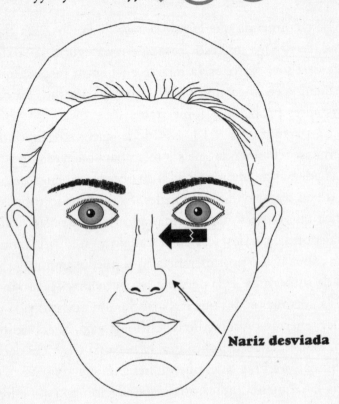

Nariz desviada

La punta de la nariz favorable es redondeada, asegura riqueza y éxito. Si la punta es delgada y afilada, el dinero no llegará con facilidad. Una punta carnosa indica a personas que disfrutan del confort y el placer. Si es muy carnosa indica hedonismo y materialismo. Si es plana describe a alguien tradicionalista, conformista que necesita sentirse protegido y seguro. Si la punta tiene líneas rojizas indica que la persona atravesará problemas financieros durante toda su vida y tiene tendencia a beber alcohol en exceso. Un brillo rojizo

en la punta alerta sobre enfermedades serias o gastos fuertes e inesperados a los 38, 47 y 56 años. Un lunar en la punta de la nariz indica problemas constantes con los pulmones y conflictos en el amor a los 20, 29, 38 y 41 años.

Punta de la nariz

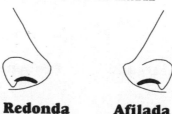

Redonda   **Afilada**

Las fosas nasales indican cómo se maneja el dinero

❖ Las fosas nasales ideales son redondeadas lo que indica que la persona usa la sabiduría para manejar el dinero.

❖ Las fosas nasales carnosas y alargadas indican una persona demasiado generosa.

Fosa nasal

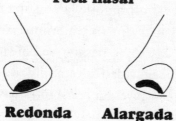

Redonda   **Alargada**

❖ Las fosas nasales delgadas y pequeñas indican una persona miserable y cuidadosa con el dinero.

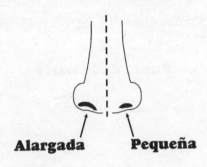

Alargada   **Pequeña**

❖ Si la fosa nasal es proporcionada en balance y tamaño con la nariz es favorable para atraer dinero.

❖ Si son demasiado alargadas en proporción con el tamaño de la nariz indican tendencia a perder dinero.

❖ Si son amplias y alargadas indican a una persona que se puede convertir en millonaria.

❖ Fosas nasales pequeñas y angostas en proporción al tamaño de la nariz indican a una persona cuidadosa en el manejo del dinero.

❖ Si las fosas nasales son demasiado pequeñas y angostas, incluso planas, indican que la persona tiene problemas fuertes para ganar dinero y administrarlo.

❖ Un lunar en las fosas nasales se considera un hoyo o agujero en la seguridad y estabilidad, lo que significa que la persona atravesará constantes gastos inesperados durante su vida.

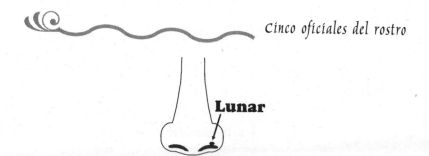

Lunar

❖ Si las fosas nasales no son del mismo tamaño o altura indica que la persona gana dinero y pierde dinero de igual manera. No tiene buena suerte en cuestiones de especulación y apuestas.

Las fosas nasales se refieren a las edades de 49 y 50 años de la persona, se consideran ríos en los rasgos faciales por lo que deben estar humectadas. Lo ideal es que la abertura no sea visible al observar el rostro de frente, ya que las fosas cuyas aberturas son visibles desde el frente de la cara evidencian falta de modestia y tacto en la persona; además de evidenciar a personas que gastan el dinero muy rápidamente.

Cuando se ven las fosas nasales indica capacidad de generar dinero pero poca habilidad para manejarlo. Si las fosas

nasales no se ven, hablan de una persona que cuida el dinero y lo ahorra.

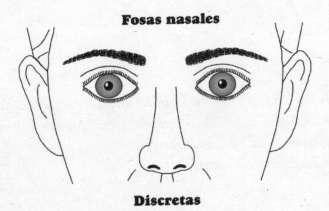

Fosas nasales

Discretas

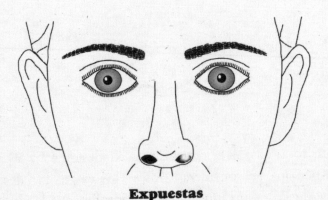

Expuestas

Una buena nariz es aquella que tiene el puente recto con una buena altura. La punta debe de ser carnosa y redondeada, de un tono rosado con un ligero brillo y fosas nasales firmes y no visibles.

El largo de la nariz es proporcional a la nobleza y suerte económica de la persona. Una persona con nariz pequeña y corta no está destinada a obtener un alto estatus social aunque llegue a tener grandes cantidades de dinero. Una buena nariz no debe de tener lunares, marcas, líneas o cicatrices.

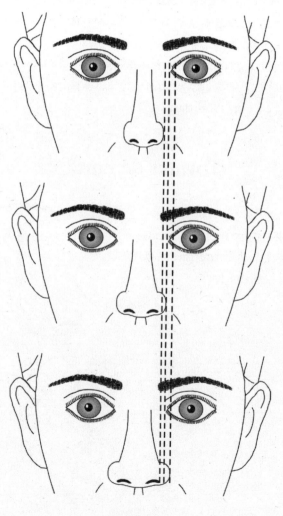

Las mejillas tienen fuerte influencia en la nariz, las que son altas favorecen a una nariz prominente pues son señal de alto estatus social y autoridad.

Sin embargo, si las mejillas son altas y la nariz es pequeña o baja, describe a una persona que ofende a sus superiores al hablar y opinar inoportunamente.

Una nariz pequeña con mejillas bajas habla de una persona con poco estatus social y autoridad.

Una nariz grande con mejillas bajas indica a una persona sobresaliente, pero cuyos subordinados son desobedientes o desaparecen con facilidad.

Formas de nariz

Cóncava arriba: pasivo, inseguro, perezoso, prudente, práctico, ordenado, meticuloso, racional, confiado.

Cóncava abajo con punta redondeada: emprendedor, expansivo, práctico, observador, profesional, tolerante, espontáneo, voluble, inconstante, alegre, benevolente.

Cóncava abajo con punta encorvada: activo, enérgico, obstinado, impulsivo, tolerante, odia las discusiones, escéptico, egocéntrico, egoísta, vanidoso, indiferente, indeciso, miedoso, irresponsable.

Convexa arriba: colérico, ambicioso, confianza en su capacidad, original, reconocido, altanero, intransigente, violento, místico, narcisista, sarcástico.

Convexa inferior (nariz francesa): hipocondríaco, positivo, bondadoso, melancólico, taciturno, de baja autoestima, inseguro, sincero.

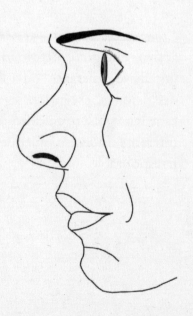

Nariz convexa inferior y punta carnosa y redonda: tiende al autismo y a la depresión, siente apego por las cosas cotidianas, tímido, reservado; sin embargo, tiene la fuerza para defender sus convicciones, racional en exceso.

Perfil recto (griega): pasivo y voluble, busca la equidad, tiende a la ingenuidad lo que le impide exteriorizar todas sus capacidades, teme a lo que genera desequilibrio; es tolerante, vanidoso, característica que lo vuelve antipático pero, para quien lo conoce a fondo, ofrece una ilimitada devoción.

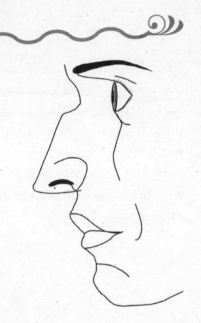

Nariz gibosa: invasivos y desgarbados, carecen de tacto, pueden ser personas generosas que transforman su intrusión en positivismo y su materialismo en sentido práctico, difíciles de tratar.

Nariz ancha en la parte media: actúan rápidamente, voluntariosas y resolutivas, ambiciosas, vanidosas, independientes y audaces, gustan de ser el centro de atención y tienden a desacreditar las ideas de los demás.

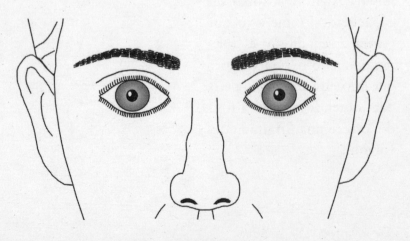

Nariz asimétrica: inquietas, no pueden ocultar sus intenciones, mentirosas, egoístas, impulsivas, tienen problemas para relacionarse con los demás.

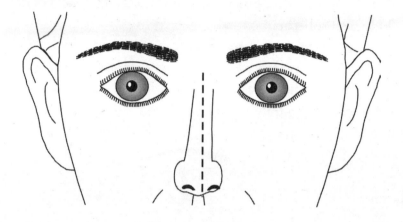

Nariz ancha en la base (chata): leales y sinceros, poseen un carácter activo y emprendedor, buscan el afecto y la aprobación de los demás, entrometidos, tienden a la dependencia obsesiva.

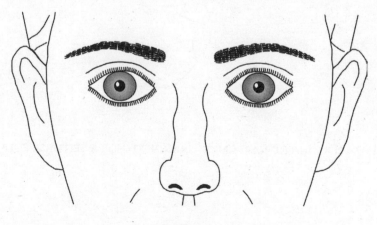

Nariz prominente: presuntuosas, impulsivas, intuitivas, curiosas; tienden a abarcar mucho, lo que les genera pocos resultados. Obstinadas y rígidas aunque son débiles y ceden ante los obstáculos, difíciles en las relaciones personales debido a su soberbia.

Nariz estrecha y afilada: inteligente, brillante, mesurado, prudente, de temperamento pasivo, pero de carácter severo y coherente, prefieren las amistades sólidas y aunque aparentan frialdad son muy sensibles.

UNA PERSONA DE NARIZ MUY GRANDE TIENDE A SENTIRSE SOLA.

BOCA: OFICIAL DE ADMISIÓN

Comunicación, la boca señala la personalidad, corresponde a la energía cósmica Yin; es una parte sensible, emocional y perceptiva que revela la naturaleza emotiva del ser humano. Es la parte expresiva del rostro. De igual manera que la nariz representa el órgano sexual masculino, la boca representa el órgano sexual femenino.

En lo que se refiere a órganos internos, los labios se asocian con el bazo, la lengua y el corazón.

La boca se asocia con el planeta Mercurio, la estrella de agua por lo que su tonalidad favorable es el rojizo rosado. Al ser considerada un río en el rostro, es importante que su apariencia sea húmeda. Si se presenta pálida o seca indica falta de energía emocional, de comunicación y comprensión. Los labios con tonalidad blancuzca indican problemas de circulación sanguínea, persona que pierde grandes oportunidades por falta de vitalidad.

Una boca grande ligeramente más grande que la nariz es excelente, indica personas comunicativas con gran influencia sobre los demás.

Cuando la boca es pequeña denota soledad.

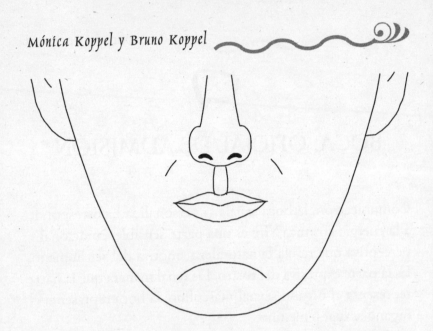

Si la boca presenta líneas verticales indica soledad y tristeza.

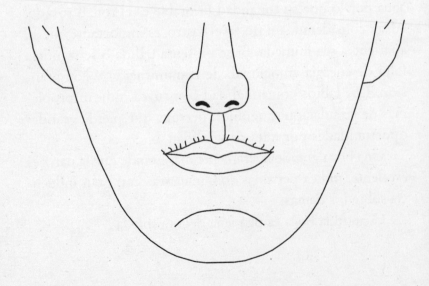

Una boca muy larga implica poder y éxito.

Si en la mujer la boca es más larga que la nariz (la nariz es la estrella del esposo) indica que la esposa se roba el éxito del marido y adopta su "papel" y función.

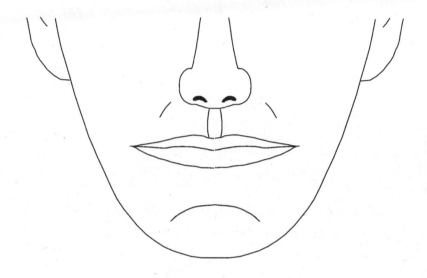

Una boca grande simboliza habilidad para hacer dinero, si es demasiado grande en proporción con el resto de la cara indica a una persona que hace planes tan grandes y espectaculares que pierde el control sobre ellos.

Una boca amplia indica a una persona generosa.

Una persona con boca angosta es alguien atado a los sentimientos y a las cosas que la rodean.

Una boca pequeña con labios gruesos (boca de corazón o de cupido) indica a una persona autocomplaciente que se abre emocionalmente con quienes siente cercanos.

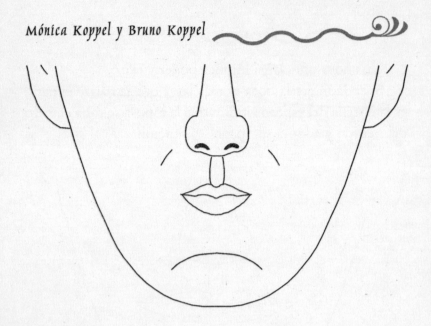

Si la orilla de la boca se presenta con una tonalidad negruzca es señal de que nadie te escucha.

Mantener la boca cerrada, denota éxito y poder. La gente que mantiene la boca abierta es torpe, comete errores constantemente y no pone atención en las cosas, además de que no se comunica de manera adecuada.

Boca ascendente

Forma curva de boca con los extremos hacia arriba. Las personas agrupadas en esta categoría denotan energía optimista, con sentido del humor. Poseen gran vitalidad y viven felizmente. Su alegría es contagiosa pero a veces esto significa que quieren escapar de los problemas sin afrontar las dificultades, lo que genera disonancia especialmente en sus relaciones afectivas.

Boca descendente

Es conocida entre los chinos como "boca de pescado". Denota "insatisfacción" en la vida. Personas dominantes que manipulan a otros para saciar sus demandas. Esta forma de labios se presenta frecuentemente en las mujeres y les brinda un toque de sensualidad.

Si los labios son delgados la persona tiene naturaleza terca.

Si el labio superior es delgado y el inferior grueso indica una persona altamente competitiva que disfruta el argumentar.

Si el labio superior es ancho y muestra los dientes indica que la persona atraviesa dificultades por falta de disciplina. Pobreza.

Si los labios son gruesos hablan de una persona que ama las cosas buenas de la vida.

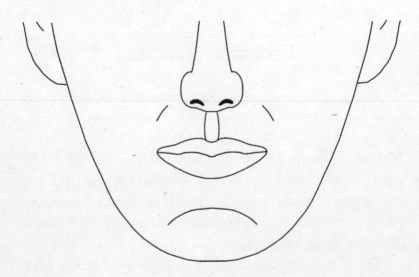

Si los labios son delgados, describen a una persona más sexual que sensual.

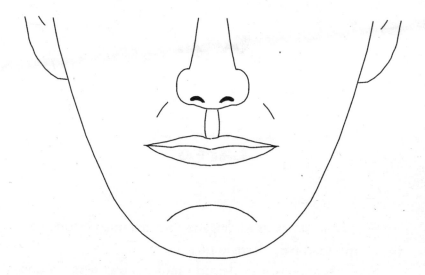

Si el labio superior es grueso indica a una persona sensual y expresiva emocionalmente.

Si el labio inferior es ancho indica a una persona que gusta del deseo y el placer físico.

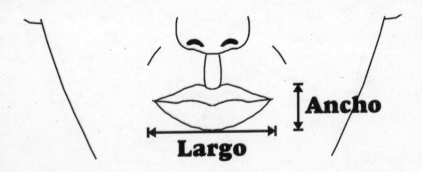

Si el labio superior es delgado indica a una persona con poca capacidad para decir lo que siente.

Si el labio inferior es delgado indica a una persona que reprime la sensualidad.

Una tonalidad oscura en los labios indica problemas de obstrucción y estancamiento intestinal. Labios oscuros señalan que la persona no obtendrá éxito ni reconocimiento, siempre será subordinado por otros.

Un tono blanquecino en los labios indica falta de energía y vitalidad.

Si los labios tienen un matiz rojizo, es señal de inflamación intestinal.

Si tienen un matiz rosado y rojizo es señal de buena digestión.

Si tienen una tonalidad azul purpúrea es indicativo de problemas de salud asociados con el corazón y la sangre.

Si el labio superior es ancho y el inferior también pero con doble grosor, indica a una persona que no es feliz y se expresa mal de los demás.

Si el labio inferior es más pequeño en longitud que el superior indica a alguien mentiroso, promete sin cumplir y no logra mantener una relación sentimental.

Si los labios están secos y con líneas verticales dentro de la carne y las comisuras se inclinan hacia abajo, indican a una persona solitaria, poco amistosa que sufre en la vida.

Una persona que se muerde y presiona constantemente los labios es dehonesta.

Si el labio superior sobresale del inferior indica problemas de autoestima. Este tipo de persona generalmente hace planes equivocados y provoca daño a los demás.

Prominencia de los labios

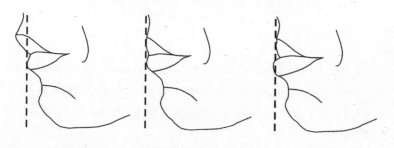

Superior　　　**Equilibrados**　　　**Inferior**

Si el labio superior presenta en el centro una especie de bolita o globo indica a una persona parlanchina y argumentadora. Jamás le ganarás en una discusión.

Cuando la línea que divide los labios es más larga que los labios mismos habla de una persona que exagera y miente sobre las situaciones. Fantasiosa y mitómana.

Cuando los labios sobresalen en exceso de la boca; es decir, parece que están soplando, son señal de una persona hipócrita que habla mal de los demás.

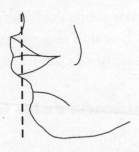

Cuando los labios presentan muchas líneas verticales alrededor significa que la persona vivirá soledad en la vejez.

La boca gobierna la suerte de una persona en la edad de 60 años.

En la boca también se interpreta el comportamiento sexual de la persona.

Una persona con labios muy delgados se obsesiona demasiado con el sexo y se apasiona por los demás.

El labio superior se asocia con el amor espiritual y el inferior con el amor físico.

LAS CEJAS: OFICIAL DE LONGEVIDAD

Representan la fama y la reputación, el logro de las metas y el temperamento para obtener lo que se desea. Las cejas corresponden a puntos estelares del rostro (el barón y el consejero). Lo ideal es que sean del mismo tamaño para simbolizar que la persona tiene autoridad (el barón) y sabiduría (el consejero) para utilizarlas en beneficio y con equidad. En aquellos casos en los que no son idénticas significa que la persona tiene problemas para consolidar su autoridad y sabiduría.

Es importante que las cejas no cubran el punto de otras estrellas; es decir, que no se junten en el entrecejo invadiendo el espacio del palacio de la vida o el de la estrella aire púrpura.

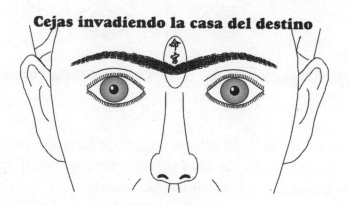

Cejas invadiendo la casa del destino

Las cejas se relacionan con cómo nos juzgan los otros desde la perspectiva exterior. Se asocian con seguridad, ahorro, buena salud; habilidad para manejar los retos y las crisis, capacidad para sobrepasar los obstáculos y el carácter.

Si las cejas son oscuras y pesadas indican una persona dominante y efectiva. Si son claras y delgadas indican una persona adaptable y amena en relaciones públicas, incluyendo cuestiones de romance.

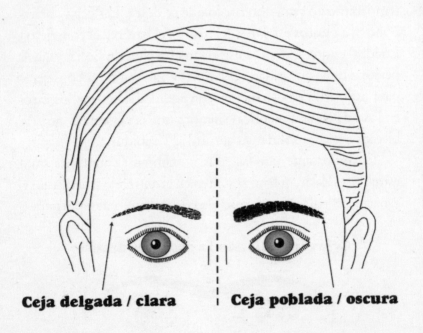

Ceja delgada / clara | **Ceja poblada / oscura**

Si el cabello de las cejas es largo en la parte superior indica a una persona con larga vida. Sin embargo, si es rizado indica tendencia a la promiscuidad sexual.

Si la ceja tiene cabello por el exterior de su forma que apunta hacia arriba es señal de una persona que obtiene apoyo de sus amigos.

Si las cejas son bien delineadas señalan a una persona que controla sus emociones, es fiel sexualmente hablando y desarrolla relaciones humanas placenteras.

Si el hueso de las cejas es prominente indica fortuna, fama y nobleza.

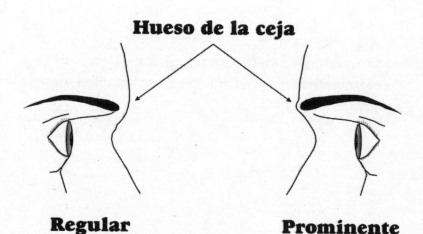

Hueso de la ceja

Regular   **Prominente**

Si el hueso de las cejas es largo y continuo indica a una persona que no le gusta que le digan lo que debe de hacer.

Si el hueso de las cejas es demasiado prominente indica personas muy temperamentales que nunca saben cuando hacer lo correcto. Tienen más enemigos que amigos y siempre se involucran en pleitos.

Si el hueso de las cejas es plano indica personas desconfiadas y pasivas. No tienen mucha capacidad de observación y no les gusta competir con otras personas.

Si el hueso de las cejas se encuentra hundido indica personas tímidas y profundas de carácter. Son calculadoras y vengativas.

Forma medialuna creciente

Las cejas con forma de medialuna creciente pueden denotar una personalidad de carácter egoísta. Tales individuos no pararán hasta que logren imponer su voluntad sobre la de otros.

Ceja horizontal

Este tipo de cejas pudiera denotar a una persona de carácter severo y dominante. Tales individuos llegan a ser líderes y a ocupar posiciones administrativas de alta responsabilidad.

Si las cejas son muy tupidas, pudieran revelar una personalidad cruel y déspota.

Ceja horizontal conectada

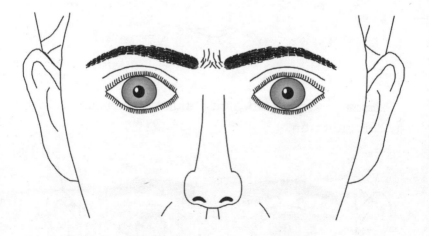

Este tipo de forma revela una personalidad lógica, que va al grano de los hechos. Individuo de mentalidad analítica que no permite que las emociones controlen su actitud.

Antes de tomar una decisión reflexionan y no cambian fácilmente de opinión. En cualquier aventura, permanecen firmes hasta el fin.

Delgadas: indolencia, falta de decisión, apatía, pereza mental.

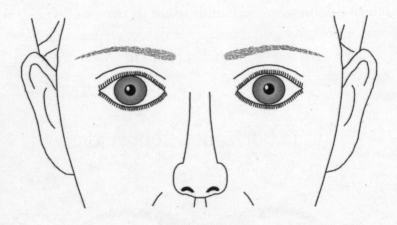

Espesas: irascibilidad, irritabilidad, eficiencia, espíritu de contradicción.

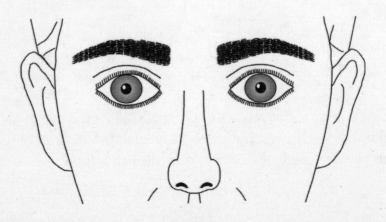

Cortas: volubilidad, exasperación, inconstancia, inestabilidad emocional.

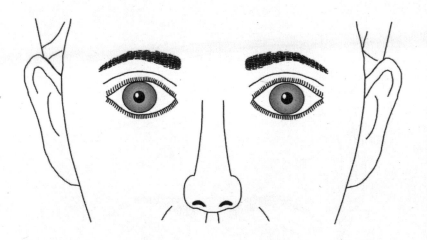

Anchas: vitalidad, energía, decisión y resistencia.

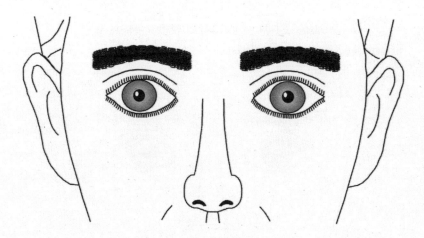

Arqueadas y redondeadas: docilidad, tolerancia, diplomacia y espontaneidad.

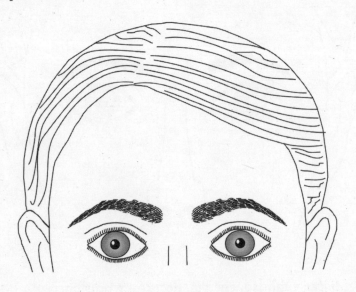

Arqueadas hacia arriba: valentía, energía, espíritu combativo, introspección y originalidad.

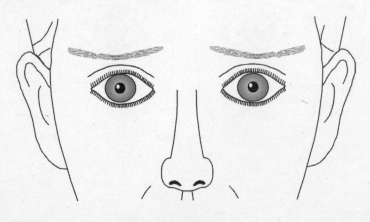

Horizontales: autoridad, obstinación, tenacidad, falsedad.

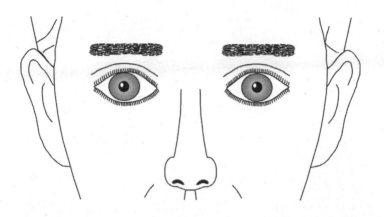

Descienden hacia las sienes: timidez, inquietud e inseguridad.

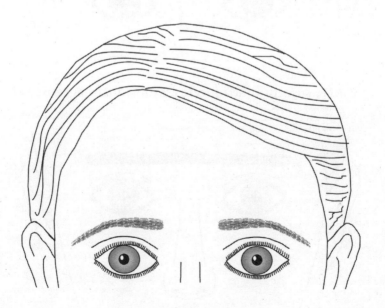

Ascendentes hacia las sienes: alegría, agresividad, energía, audacia, falsedad.

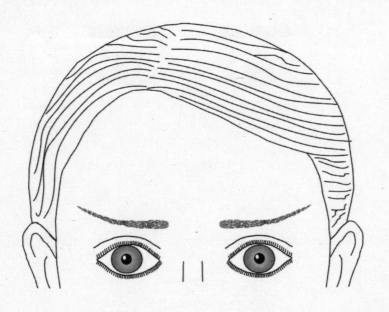

Unidas: susceptibilidad, celos, exuberancia, agresividad.

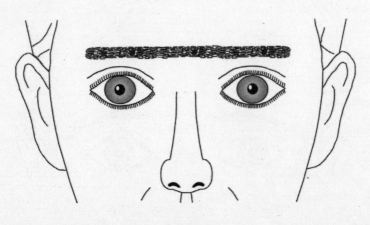

Cercanas a los párpados: ambición, resolución, vitalidad, ansiedad, introspección. Personas con facilidad para trabajar en grupo y en equipo.

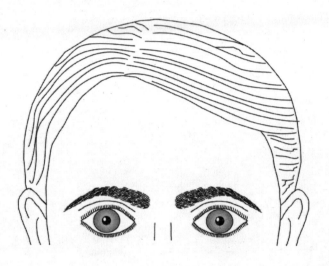

Alejadas de los párpados: indecisión, timidez, ingenuidad y fragilidad emotiva. Personas que trabajan mejor de manera independiente.

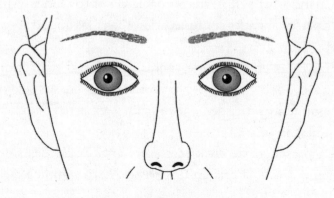

Ausencia de cejas: apatía, inconstancia, inseguridad, inestabilidad.

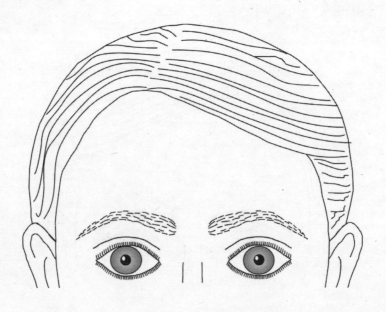

Si hay vellos separados al final de la ceja, la persona gasta el dinero excesivamente.

Cuando los vellos crecen hacia distintos lados evidencian a personalidades confusas y desordenadas que no aprecian el arte.

Las cejas en forma de tijeras abiertas al final indican personas poco exitosas. No son astutos en sus acciones y pensamientos, tienden a involucrarse en actos delictivos y deshonestos.

La presencia de cicatrices en el área de las cejas generalmente divide la ceja en dos partes. Esto significa que un

hermano de la persona o amigo muy cercano morirá a edad temprana o vivirá lejos; es decir, indica separación.

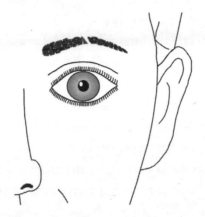

Cuando las cejas se encuentran asimétricas o una es más alta que la otra indica a una persona que tendrá o tiene medios hermanos, así como una persona que puede ser adoptada o alejada de los padres.

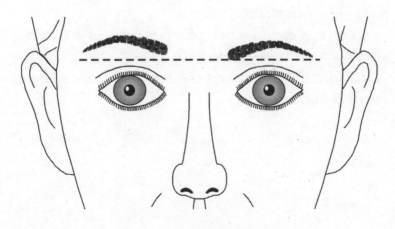

La presencia de un lunar al centro de la ceja indica inteligencia y la tendencia a sufrir un accidente asociado con agua. Si el cabello de la ceja es delgado entonces el accidente puede estar asociado con fuego.

La presencia de un lunar al final del marco interno de la ceja indica que la persona puede llegar a tener un problema que la conduzca a la cárcel.

La presencia de un lunar al final del marco externo de la ceja indica problemas relacionados con relaciones amorosas, especialmente si se presenta en la ceja derecha.

Un lunar sobre la ceja cerca del marco interno es señal de problemas financieros inmediatos como insuficiencia de fondos y poca liquidez para pagar las cuentas. Lo mismo sucede si se presenta acné, aunque el acné indica el problema de manera temporal.

Un vello demasiado largo indica que la persona tiene una cualidad muy especial que la puede hacer destacar y volverse famosa.

Es de buena suerte el que el vello de las cejas crezca hacia la misma dirección.

Entre más oscuro sea el color generará mayor reconocimiento y fortuna para la persona.

Es adecuado que la ceja comience en el mismo punto donde comienza el ojo.

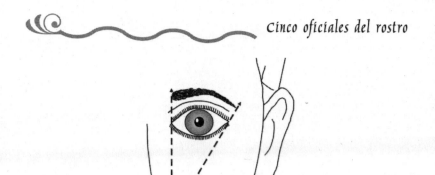

Si el cabello al inicio de la ceja crece de manera dispareja o irregular significa que a la persona le gusta correr riesgos.

Si el cabello, al final de la ceja crece de manera irregular o dispareja significa que la persona es de mentalidad cerrada y no muy confiable, tiene cambios constantes de estado de ánimo.

22

Siete rasgos convincentes del rostro

Estos rasgos forman el respaldo para los cinco oficiales. Cada uno de los cinco oficiales representa un potencial en la vida; es decir, lo que se puede hacer en un área particular. Los siete rasgos convincentes representan fuerzas directas que fortalecen o limitan el potencial de la persona; cada uno representa ciertas cualidades:

1. *Frente:* carácter
2. *Mejillas o pómulos:* poder
3. *Quijada:* estatus
4. *Barbilla:* fuerza
5. *Filtrum:* fuerza vital
6. *Ojeras:* fertilidad
7. *Líneas de la boca:* longevidad

LA FRENTE

Representa el carácter, la parte Yang del intelecto en correspondencia con la parte Yin que es la personalidad. La frente simboliza lo que se hereda, tanto de la familia o por influencia materna o paterna, la educación y el respaldo, los principios que se le han enseñado a la persona, la habilidad para hacer juicios y los valores por los que la persona se rige.

Rasgos angulosos ⟶ Energía, raciocinio, constancia.

Rasgos curvos ⟶ Imaginación, sensibilidad y dulzura.

La frente representa al planeta Marte, su color favorable es rosado y es positivo que la frente presente un brillo no grasoso.

Frente inclinada ⟶ Imaginación aplicada a practicidad, impulsivo y combativo, imprudente e impresionable. Orador, irritable, despótico, caprichoso, brillantes intuiciones.

Frente vertical ⟶ Obstinado, contradictorio, costumbrista, inteligencia positiva y matemática, raciocinio relevante.

Frente prominente ⟶ Prominencia inferior: ingenio y practicidad. Observador, eficiente, tenaz y determinado.

Prominencia media: capacidad nemotécnica, tendencia a la meditación y melancolía, introvertido, indeciso.

Prominencia superior. Inteligencia abstracta, dificultad en relaciones personales, intolerante, original.

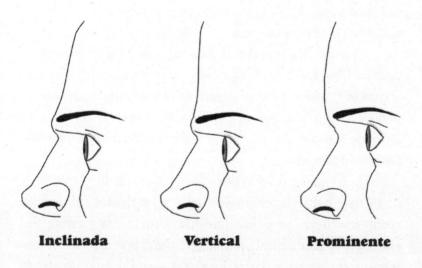

Inclinada   **Vertical**   **Prominente**

La frente se asocia con aquello que se hereda; es decir, si se tiene una protuberancia del lado derecho de la frente indica una fuerte herencia o influencia por parte de la familia materna. Si la protuberancia es del lado izquierdo indica dicha influencia por parte de la familia paterna.

Una frente redondeada significa una persona con buena imaginación. Si es alta y redondeada, la persona es filosófica y creativa.

Una frente plana es característica de una persona de pensamiento lineal. Cuando la frente presenta un hundimiento o retroceso a partir del hueso de las cejas indica a una persona de mente manipuladora y dominante, firme y rápido en sus tratos.

Si la frente es alta se interpreta como una persona intelectual que aprende de los libros y en la escuela. Si la frente es baja o pequeña, se interpreta como personas prácticas que aprenden de la experiencia.

La frente alta representa una excelente relación con los padres. Una frente media, ni larga ni corta, indica un buen respaldo familiar y buen desarrollo intelectual. Una frente pequeña significa que la persona se desarrolla en la vida con poco apoyo de los padres y tiene dificultades para obtener educación.

Si la frente es alta y cuadrada significa que la persona tiene buenas habilidades intelectuales y excelentes valores, así como un fuerte respaldo familiar y fortaleza mental. Sin embargo, le costará trabajo mantener una buena relación matrimonial, ya que si la frente es muy alta y muy cuadrada puede implicar viudez.

Si la frente es baja y cuadrada indica que la persona ha tenido un comienzo difícil en la vida; aunque tiene fuertes habilidades prácticas y buen carácter.

Si la frente es de mediana altura y cuadrada indica buenos instintos enfocados a la practicidad. Tiene el suficiente

respaldo para ser exitoso en posiciones que involucren administraciones medianas.

Si la frente es redondeada, sin ángulos marcados y alta indica a una persona de naturaleza tranquila, nada agresiva ni ambiciosa. Tiene un buen respaldo familiar pero no es una persona interesada en obtener grandes logros.

Si la frente es baja y redondeada, la persona no tiene un respaldo sólido, tuvo un duro comienzo en su vida profesional pero llega a obtener una posición destacada que le brinda seguridad.

Si la frente es redondeada y de mediana altura indica una persona que se siente contenta con un estilo de vida promedio y no se esfuerza por cambiar o mejorar las circunstancias bajo las cuales nació.

La frente se considera una de las montañas del rostro, por lo que es importante que sea un apoyo para las otras montañas.

LAS MEJILLAS O PÓMULOS

Se consideran montañas en el rostro y simbolizan poder. Son parte de la energía cósmica Yang que representa poder en los negocios y en la vida pública, así como en el matrimonio y la relación familiar.

En el rostro, se denominan las montañas del este y del oeste; le dan soporte a la montaña mayor que es la nariz, llamada el trono del emperador o el pico de la perfección.

Es importante que exista un buen balance entre estas montañas para asegurar un buen esquema de poder. Se considera desfavorable que las mejillas, o pómulos, estén muy cercanas a la nariz.

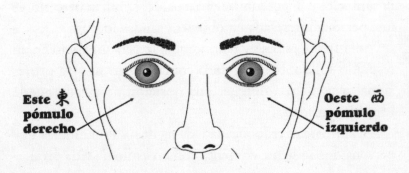

Este 東
pómulo
derecho

Oeste 西
pómulo
izquierdo

Las mejillas se dividen en dos partes: las perillas o terminación de las mejillas y la base. En una situación ideal de poder ambos, tanto la base como las perillas, son fuertes. Los puntos donde los huesos de las mejillas se conectan con el hueso de los ojos se denominan huesos solares. Es importante que esas uniones sean prominentes.

Es necesaria una fuerte estructura de mejillas y pómulos para desarrollar cualquier carrera o profesión que coloque a la persona en un puesto de autoridad, son de mucha ayuda para militares, posiciones gubernamentales, actores, deportes y médicos. En el caso de una relación de pareja, aquel que tenga la estructura más fuerte será quien domine la relación.

Cuando los pómulos y las mejillas son fuertes en la parte frontal y en la parte lateral indican a una persona dominante, fuerte y decidida.

Cuando los pómulos y mejillas son prominentes en la parte frontal indican a una persona que pretende ser dominante pero le falta la fuerza para mantener su posición.

Cuando los pómulos son angulosos hacia abajo indican personas aventureras, emotivas y que disfrutan del viajar.

Cuando los pómulos o mejillas son suaves indican que la persona se deja mandar y manipular.

Cuando los pómulos o mejillas son prominentes hacia los lados describen que la persona es dominante, los demás lo siguen y obedecen y es peligroso cuando no le hacen caso.

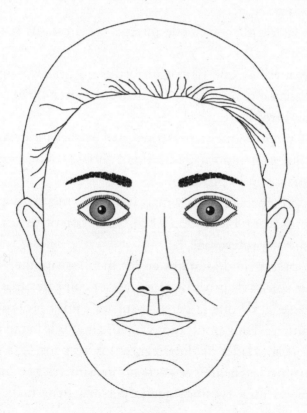

Cuando los pómulos y mejillas son redondeados indican a una persona diplomática y amigable.

Los pómulos que sobresalen muy fuerte hacia los lados de los ojos ejercen una mala influencia en el matrimonio, vida emocional y vida sexual de la persona.

Cuando los pómulos son planos indican personas sin interés de salir adelante y avanzar en la vida, les falta valor y poder para lograr sus objetivos.

Cuando los pómulos sobresalen demasiado y los ojos son saltones indican a una persona mala, peleonera y feroz para pelear.

En las mejillas se puede interpretar el estatus social de la persona.

Las mejillas que tienen un brillo no grasoso significa que obtienen el respeto de los demás y tienen buena suerte en el ámbito profesional.

Las mejillas que tienen tonalidad grisácea indican personas que tienen poca credibilidad ante los demás y tienen poca suerte en lo profesional.

La presencia de acné y manchas en las mejillas y pómulos significa argumentación y problemas con otros, así como mala suerte profesional.

La presencia de lunares en las mejillas significa que la persona sufrirá de pérdidas causadas por culpa de otros. También es señal de que la persona sufrirá caídas profesionales constantes. Malos empleados y malos amigos le harán perder grandes cantidades de dinero entre los 46 y los 47 años.

Cuando las mejillas se encuentran asimétricas o una más alta que la otra, significa que la persona tiene mala suerte

en lo profesional, así cambios drásticos en el matrimonio durante los años gobernados por las mejillas acorde al mapa de las cien posiciones de las edades en el rostro. La persona manifiesta carácter inestable.

LA QUIJADA

Se refiere a las raíces del árbol; es decir, representa estatus y posición social. Se interpreta como la posición que la persona obtiene en la vida. Es parte de la energía cósmica masculina Yang. Es recomendable que tenga un poco de apariencia ósea y prominente; sin embargo, debe de estar en balance con el resto de la estructura facial.

Cuando la quijada es fuerte y ancha indica que la persona posee creencias y valores personales fuertes y sólidos. Tiene el deseo y el impulso para defender y pelear por sus convicciones. Puede ser una persona testaruda, dominante y controladora.

Cuando la quijada es de estructura delgada indica que la persona es voluble, cambia de opinión fácilmente y su esquema de valores es flexible.

Cuando la quijada es firme y bien definida, del mismo ancho que la frente, redondeada de tal forma que los huesos no son muy prominentes indica que la persona es autosuficiente y logra sus propósitos. Obtiene el balance y el equilibrio, así como una vida exitosa rodeada de respeto y buena posición social.

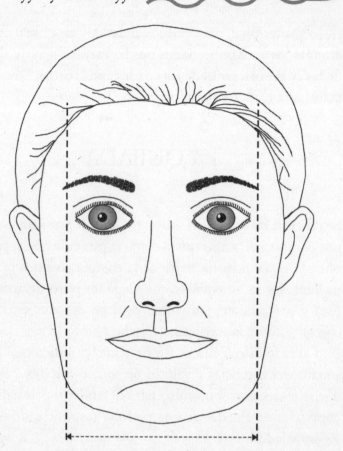

Cuando la quijada es cuadrada y marcada indica a una persona terca, egoísta, orgullosa; capaz de romper esquemas por obtener una posición alta en la vida, con la posibilidad de lograrlo.

Cuando la quijada es ancha a los lados y sobresale en la parte trasera del rostro indica a una persona con naturaleza muy dominante, capaz de obtener alto rango en actividades militares solamente. En lo social y en los negocios tratará de

usurpar el poder. Esta persona intenta estar en rangos altos y lo puede lograr; sin embargo, sus aspiraciones no se lograrán en lo social ni en lo cultural. Le gusta confrontar a los demás para obtener lo que desea, no conviene como enemigo.

Cuando la quijada es suave y redondeada indica que la persona nació en un esquema de vida cómodo y logra mantener la seguridad y el confort; así como su posición media, socialmente hablando, a través de su vida. Este tipo de quijada indica una buena vida, una casa cómoda, una posición segura y estable en la vida; así como una persona que no aspira a altos niveles ni se arriesga a perder su estabilidad.

Cuando la quijada es afilada y delgada indica salud y carácter débil en la persona. No llega a realizar sus aspiraciones de estatus y posición, ya que su mala salud y poca vitalidad le afectan; una vida llena de insatisfacción y desilusión.

LA BARBILLA

Representa la fuerza, es la parte baja de la cara y es considerada una de las montañas del rostro. Este rasgo se interpreta para conocer la suerte de la persona en la vejez. Una buena estructura de barbilla es amplia y forma como una pequeña perilla hacia el frente con amplitud o estructura carnosa hacia el área del cuello, a esa parte carnosa se le conoce como bolsas de dinero y la presencia de ellas en el rostro indica la capacidad de la persona para retener el dinero y consolidar una buena posición económica. Si no existe la presencia de estas bolsas de dinero en el rostro es señal de escasez económica en la persona y pocas reservas de energía, así como un sistema inmunológico alterado y desequilibrado. Una barbilla puntiaguda significa soledad y problemas financieros en la vejez. En esta área del rostro se ve la edad entre los 61 y los 71 años. En este sector del rostro también se ubica la casa de los empleados y los subordinados.

Se le llama Cheng Jiang a la depresión que se ubica debajo de los labios y sobre la barbilla (Di Ge). En ese punto se interpreta la edad de 61 años y la condición del aparato o sistema digestivo. Si no existen líneas, marcas, lunares o cicatrices indica una persona que rara vez tiene problemas de envenenamiento por comida o intoxicación y se puede entrenar a ser un buen bebedor. Por otro lado, si ese punto es plano quiere decir que la persona no tiene capacidad para ser un buen bebedor.

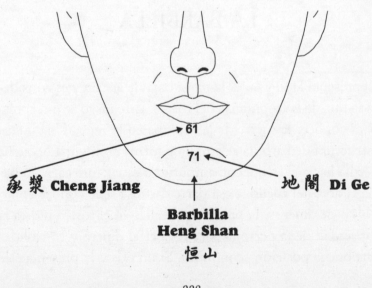

承漿 **Cheng Jiang**   61   71   地閣 **Di Ge**

Barbilla
Heng Shan
恒山

Cuando en ese sector se ubica una cicatriz, líneas o lunares implica que la persona tiene constantes problemas con el sistema digestivo así como alergias e intoxicaciones constantes.

Cuando en ese sector aparecen manchas de tonalidad oscura, grisácea o verdosa se interpreta como problemas digestivos.

El lado izquierdo y el lado derecho se refieren a las edades de 62 y 63 años. Aquí se puede determinar y analizar si la persona tiene la capacidad de controlar a sus empleados y subordinados. Cuando esta área se presenta carnosa y rosada se interpreta como una persona que ejerce control y se gana el respeto de sus subordinados. Por el contrario, si se presenta hundimiento en ambos lados indica que la persona no ejerce control sobre sus subordinados. La persona no es capaz de retener a sus empleados. Si la persona tiene un negocio, indica que los empleados se rebelan y no cumplen con sus obligaciones.

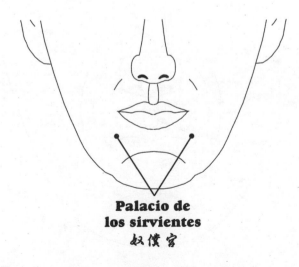

**Palacio de
los sirvientes**
奴僕宮

A los lados de la boca encontramos dos puntos que se asocian con los 64 y los 65 años de edad. En esas áreas se interpreta la salud y condiciones de las mascotas que la persona tenga en casa. Si esos puntos se encuentran llenitos o carnosos indican un buen estado de las mascotas. Si se presentan depresiones, hundimientos, líneas, lunares o cicatrices en esos puntos significa que las mascotas de la persona pueden enfermar y morir cuando la persona tenga 64 o 65 años de edad.

Las líneas que se forman a los lados de la boca y van hacia la barbilla, partiendo de las comisuras de los labios se refieren a la suerte de los 66 y 67 años de edad de las personas. Es muy extraño encontrar una persona a la que se le marquen estas líneas en el rostro, en el caso en que las tenga significa que en la vejez estará en una gran posición de ventaja, con dinero y compañía, así como buena salud.

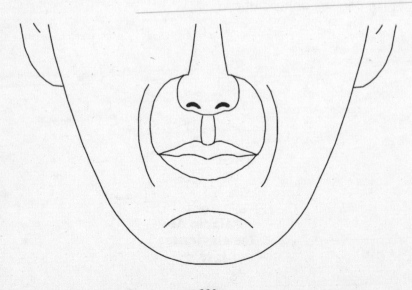

Los dos puntos que se encuentran por debajo de los lóbulos de los oídos se llaman Gui Lai y se asocian con los 68 y 69 años de edad. En ellos se interpreta la relación con los hijos y las hijas. Si esa zona se encuentra carnosa significa que la persona tiene hijos amorosos que se preocupan por ella y que la cuidarán. Hundimiento en esa zona se interpreta como una relación lejana con los hijos y las hijas, la persona se sentirá sola y perdida durante la vejez.

El punto exacto al centro de la barbilla se llama Song Tang, ahí se ubica la edad de 70 años. El punto más bajo de la barbilla se llama Di Ge y en él se ubican los 71 años de edad. Si ese punto es firme y carnoso significa que la persona tendrá buena suerte y una familia próspera en la vejez.

Cuando la barbilla es cuadrada indica a una persona activa con pasión por los deportes. Esta persona tiene perseverancia y tenacidad para afrontar tiempos difíciles, aprende del éxito y del fracaso.

Cuando la barbilla es redonda, o parece doble barbilla, indica que la persona gusta del placer tanto físico como sexual. Tiene fuertes valores familiares y tendencia de líder fuerte. Este tipo de persona se gana el respeto y la confianza de sus subordinados y tendrá excelente suerte en la vejez.

Cuando la barbilla retrocede no es una buena señal para la persona. La persona que tiene este tipo de barbilla indica que sufrirá de poco desarrollo mental y problemas circulatorios y de la sangre. Son de temperamento explosivo, actúan rápido pero sus pensamientos no coinciden con sus actos. Constantemente comete errores por culpa de sus repentinos impulsos.

Barbilla

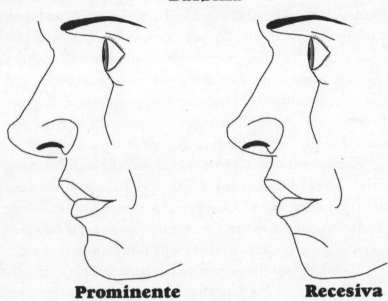

Prominente   **Recesiva**

Cuando la barbilla sobresale en exceso indica buena suerte. La persona tiene la fortaleza necesaria para cumplir sus propósitos. La barbilla refleja la salud del corazón además del sistema digestivo, por lo que este tipo de barbilla señala a una persona con un corazón saludable. Capaz de salir adelante de cualquier situación y convertirla en un logro que la lleve al éxito. La persona tiende a ser necia y variable en sus sentimientos por lo que tendrá múltiples relaciones sentimentales. Señala buena suerte en la vejez.

Cuando la barbilla se cae denota miedo e inseguridad.

EL FILTRUM

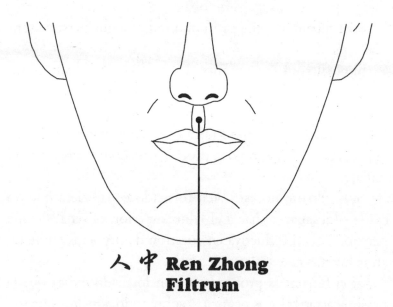

人中 **Ren Zhong**
Filtrum

El filtrum corresponde a la cueva que se forma entre la nariz y el labio superior. Se asocia con fertilidad y creatividad. Corresponde a la energía cósmica Yin y es considerado un río en el rostro. Representa el sistema de drenado de la cara. Simboliza la fuerza vital, la productividad y la sexualidad. Es el rasgo que conecta la nariz (órgano sexual masculino) con la boca (órgano sexual femenino) lo que lo convierte en un rasgo erótico. Este rasgo provee información acerca del comportamiento sexual de la persona, así como de la energía de productividad para obtener frutos en la vida.

En la cara masculina se considera ideal que mida una pulgada de largo. Esto indica que su energía sexual perdurará a través de su vida.

El filtrum se llama también el centro de la vida por la energía productiva que simboliza.

Si el filtrum es muy profundo indica a una persona sensual y fértil.

Si el filtrum se encuentra bien formado, es sinónimo de una larga vida sexual activa y fertilidad para tener varios hijos.

Si el filtrum es plano indica una persona con muy poco interés en el sexo, con poca productividad en la vida y en el trabajo.

Si el filtrum no está bien formado o pareciera que no existe o desaparece hacia el labio superior, es señal de una persona poco productiva en cuestión de negocios y que no atrae buenos clientes en su trabajo.

Si el filtrum es profundo y bien formado indica que la persona atrae buenos negocios, sobre todo aquellos que tienen que ver con trato de gente; por ejemplo ventas, organizadores, etcétera.

En el filtrum podemos detectar problemas con órganos sexuales y con el sistema urinario. Cuando el filtrum presenta una línea que lo atraviesa horizontalmente, indica infertilidad, problemas con próstata y testículos. Si la línea que lo atraviesa es vertical representa problemas con uno o más hijos, problemas de incapacidad o falta de creatividad y consolidación.

Filtrum acampanado

Denota una sana capacidad de procrear. Las personas que tienen esta forma probablemente tendrán muchos hijos y muy buena salud.

Filtrum acampanado invertido

Se relaciona con capacidades contrarias a la forma anterior. La potencialidad sexual es escasa, probabilidades de procrear hijos débiles. Las personas con esta forma de filtrum suelen tener un solo hijo.

Filtrum recto

Denota capacidades sexuales promedio. La persona que tiene este tipo de filtrum recto formará una familia promedio, generalmente no tienen más de dos hijos.

Filtrum ausente

Cuando no es visible en el rostro denota personas de escasa productividad sexual. Su escasa capacidad sexual pudiera generar consecuencias negativas durante los últimos años de vida.

La presencia de una cicatriz, lunar, mancha o marca en el filtrum indica una persona con problemas relacionados con órganos sexuales y reproductores.

Un filtrum con forma de espada indica que el primer hijo será niño.

Un filtrum con forma redondeada indica que el primer hijo será niña.

Un filtrum inclinado a la izquierda indica que el primer hijo será niño y el padre de la persona morirá antes que la madre.

Un filtrum inclinado a la derecha indica que el primer hijo será niña y que la madre de la persona morirá antes que el padre.

Filtrum profundo, amplio y largo: muchos hijos con grandes logros, buena relación.

Filtrum angosto y largo: pocos hijos con relación lejana.

Filtrum muy angosto: la persona no tendrá hijos y de tenerlos, su relación con ellos será muy mala y vivirá soledad en la vejez.

Filtrum irregular: indica una persona incapaz de reproducirse y en una mujer representa un útero irregular.

Filtrum muy amplio o ancho: la persona lleva una vida sexual promiscua.

Cuando el bigote y la barba crecen pero no hay cabello en el filtrum indica que la persona hace demasiado para ayudar a otros sin que ellos lo valoren.

Cuando crecen pelos de la nariz señalan que la persona vivirá constantes perdidas financieras.

Un lunar en el filtrum en el caso de hombres indica que son muy sexuales y promiscuos. También tendrán mala salud en la vejez. En la mujer representa problemas con el útero.

LAS OJERAS

El área que se ubica debajo del ojo es el rasgo que revela la fertilidad, el tipo de hijos y su comportamiento. Se debe de observar para determinar el número de hijos que la persona tendrá.

Lo ideal es que esa área sea ligeramente carnosa, en color claro que significa sensualidad. Si se presenta esa área oscura y hundida indica una persona pesimista ante la vida, triste y deprimida. Hinchazón presente en esa área significa que hay desórdenes metabólicos.

Es favorable cuando en esa área se presenta brillo en la piel con textura lisa.

Si esa área es plana y tiene buena coloración (clara y con brillo) indica a una persona con pocos hijos, narcisista, fría y poco expresiva.

Si esa área se presenta hundida y oscura indica problemas fuertes de salud, infertilidad; persona decepcionada de sus hijos y negativa ante la vida.

LÍNEAS DE LA BOCA

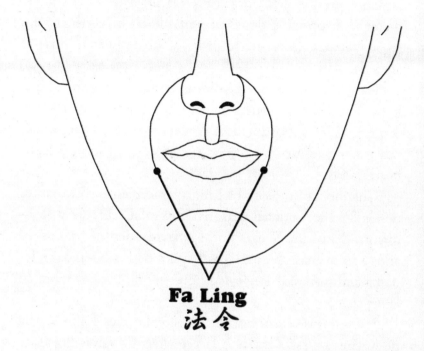

Fa Ling
法令

Se les llama Fa Ling. Inician en las orillas de la nariz hacia abajo a los lados de la boca. Hablan acerca de la longevidad y los logros de la persona. Lo ideal es que sean largas y curvas, ya que representan buena salud y larga vida.

◈ Líneas de sonrisa que son largas y continúan curvas hacia debajo de la boca representan larga vida con mucha vitalidad y actividad en los años tardíos.

◈ Líneas de sonrisa que sólo cubren hacia la mitad de la boca, indican que la persona tendrá un buen promedio de vida y un buen disfrute de la misma.

Estas líneas existen desde el nacimiento de la persona y le dan expresión a la boca. En estas líneas se puede interpretar la disposición de las personas hacia las órdenes y las reglas además de la suerte profesional después de los 40 años de edad.

La presencia de buenas líneas de Fa Ling indican que la persona tiene un buen manejo de órdenes y reglas con respecto a los subordinados. Aquellas personas con líneas poco marcadas de Fa Ling no tienen control sobre sus subordinados.

Cuando las líneas de Fa Ling aparecen en el rostro antes de los 30 años indican personas con infancia triste y alejamiento del padre. Si esas líneas aparecen después de los 40 años son buenas. Si aparecen después de los 60 años se les llama cinturones de longevidad que significa buena salud en la vejez.

Estas líneas se asocian, además, con los pies. La presencia de lunares en estas líneas o la presencia de varias líneas de distinto tamaño en ésta área indican que la persona se lastima los pies con facilidad.

La presencia de un lunar en el Fa Ling izquierdo indica que la persona no asistirá al funeral de su padre, en el lado derecho no asistirá al funeral de su madre.

Si la línea Fa Ling del lado izquierdo es más corta que la del lado derecho indica que la persona tiene mala relación con el padre. Si es el lado derecho más corto que el izquierdo la mala relación es con la madre.

Si el Fa Ling tiene líneas o cicatrices indica fuertes barreras profesionales a los 56 y 57 años de edad.

Si el Fa Ling es brillante en textura indica buen progreso en la carrera. Color oscuro indica que se está atravesando un momento difícil en la carrera.

Si se presenta acné en el Fa Ling indica que la persona está atravesando por demasiadas discusiones en el trabajo y los negocios.

Ligera coloración oscura a un lado por el exterior de Fa Ling indica que la persona está sufriendo robos y pérdidas comerciales.

Ligera coloración oscura por el interior de Fa Ling indica que la persona está atravesando mala suerte provocada por romances familiares.

Coloración brillante por fuera de Fa Ling pero oscura por dentro indica que la persona aparenta estar bien por fuera pero en realidad se encuentra mal en el interior.

Cuando las líneas Fa Ling son largas y curveadas hacia abajo y hacia fuera en la parte baja del rostro indican a una persona longeva que puede conocer hasta cinco generaciones de su descendencia.

Cuando son largas y continúan hasta curvearse hacia el exterior por debajo de la boca, indican una vida larga con mucha vitalidad y alegría en la vejez.

Cuando son largas y curveadas hacia el interior por debajo de la boca indican una vida larga pero con soledad en la vejez.

Cuando las líneas de Fa Ling son curveadas y abrazan la boca indican pobreza y mala salud en la vejez.

23

Otros puntos a analizar

LOS DIENTES

SON LOS PILARES DE LA BOCA. Lo ideal es que sean derechos, largos y blancos, ordenados y cerrados para atraer larga vida, buenas relaciones, inteligencia y una buena posición en la vida. Si se tienen 32 o más dientes en la boca se consideran de muy buena suerte.

- Dientes redondeados, frescos y blancos así como derechos, indican muy buena fortuna. Revelan una persona armoniosa e interesante, artística y balanceada.
- Dientes pequeños, derechos que muestran mucho la encía indican una personaególatra con poca consideración hacia aquellos que la rodean.

- Dientes fuertes y largos indican una larga vida más no sencilla. Tendrá que trabajar duro ya que nada le llegará gratis.
- Dientes que están hacia adentro de la boca indican a una persona solitaria

Los dos dientes frontales superiores representan a los padres, para los hombres el diente izquierdo representa al papá y el derecho a la mamá. Para la mujer es al revés. Si ambos dientes son fuertes y bonitos indican que la relación entre los padres ha sido fuerte y feliz. Si los dientes crecieron en diferentes direcciones, la relación entre los padres ha sido mala. Es importante cuidarlos ya que pueden indicar la salud de los padres. Si los dientes son débiles indican mala salud en los padres. Si hay espacio entre ambos dientes es señal de desperdicio por excesiva generosidad.

- *Dientes de jade:* son blancos, delicados, ordenados y sin espacios. Se consideran de buena suerte ya que denotan éxito, riqueza y buena salud.
- *Dientes desordenados:* con espacios entre ellos, indican inestabilidad en finanzas y relaciones, personas chismosas.
- *Dientes rotos:* afilados y muy desordenados indican a una persona mala, celosa, envidiosa y calculadora. Frustrados a causa de problemas económicos y emocionales. Reciben poca ayuda de sus familiares y amigos.
- *Dientes hacia afuera:* indican gente exteriorista, que busca el éxito fuera de sus lugares de origen. Son egoístas, autodidactas, simpáticos y agradables.

❖ *Dientes con colmillos muy afilados:* indica a una persona que genera mala suerte a quienes ama.

TIPO DE SANGRE

A: personas melancólicas, reservadas, desconfiadas, tímidas, discretas, sinceras, solitarias, sentimentales, de gran corazón; se caracterizan por su fe y esperanza, sensibles, pensativas, artísticas, tiernas, serias, soñadoras, pacientes.

B: banales, comunicativas, directas, curiosas, impacientes, cambiantes, diplomáticas, lógicas, atléticas, bien habladas, activas, analíticas, prácticas, flexibles; disfrutan de la vida.

AB: melancólicas, tímidas, inestables, inseguras, ahorrativas, adaptables, centradas, comunicativas, solitarias, impacientes, contradictorias, tiernas, de gran corazón, lógicas, sensibles, serias, reservadas, diplomáticas, atléticas, flexibles.

O: arrogantes, ambiciosos, desobedientes, rebeldes, perseverantes, tercos, pacientes, lógicos, inexpresivos, generosos, autosuficientes, diplomáticos, modestos, soñadores, creativos, valientes, decididos, analíticos.

LÍNEAS FACIALES

Líneas horizontales de la frente

❖ Si existe una línea horizontal en la frente, cerca de la línea del cabello, favorece el éxito.

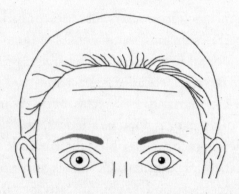

❖ Si existe una línea horizontal en la parte baja de la frente se considera menos afortunada que la anterior y limita el éxito.

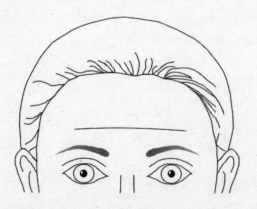

❖ Dos líneas horizontales se consideran extremadamente favorables. Indican alto nivel de inteligencia y una persona innovadora, creativa y exitosa.

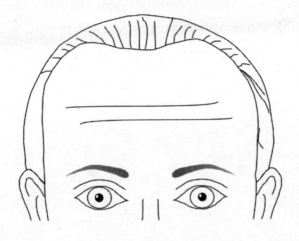

Líneas verticales entre las cejas

❖ Dos o tres líneas verticales indican un buen intelecto, buen respaldo cultural y perspicacia.

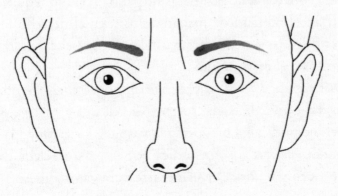

❖ Más de tres líneas verticales entre las cejas indican tendencia para gastar la fuerza y la energía personal, así como el intelecto de manera innecesaria. Confusión mental.

❖ Una sola línea vertical entre las cejas se llama o conoce como "la aguja suspendida" y augura decepción. Le cuesta trabajo obtener lo que busca.

Líneas alrededor de los ojos: patas de gallo en el ojo izquierdo indican el número de matrimonios y en el derecho las amantes o los romances extramaritales. Su presencia indica problemas en el matrimonio.

Líneas horizontales en el párpado inferior: la presencia de una línea es indicativo de buena suerte. Más de una arriba o debajo del ojo, indican a una persona suspicaz y desconfiada.

Línea en medio de la nariz: indica que la persona debe de trabajar duro y tendrá que esforzarse para ganar dinero.

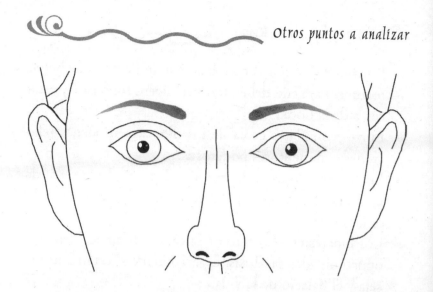

En los hombres, una sola línea vertical en la raíz de la nariz indica que es una persona dominante.

Líneas verticales en el labio superior: indican personas egoístas e interioristas, con pocas reservas de energía sobre todo para la vejez.

Líneas hacia arriba en los bordes de los ojos: indican felicidad.

Líneas hacia abajo en los bordes de los ojos: tristeza, rencor, coraje.

VERRUGAS, LUNARES Y MARCAS

- ❖ Las verrugas no se consideran buenas en ninguna parte de la cara, así como ciertos lunares.
- ❖ Una verruga negra en la cara indica la posibilidad de muerte prematura.

- Lunares rojos, por el otro lado son indicativos de buena fortuna. Para ello deben tener un ligero tono café y estar cerca de la boca.
- Lunares similares cerca de los ojos atraen buenas relaciones con mentores poderosos.
- Los lunares rojos en la frente indican poder y cerca de las orejas desarrollo espiritual, especialmente si el lóbulo es largo.
- Los lunares en el centro de la cara indican accidentes y oportunidades perdidas, especialmente si están entre la ceja y el palacio de la vida.

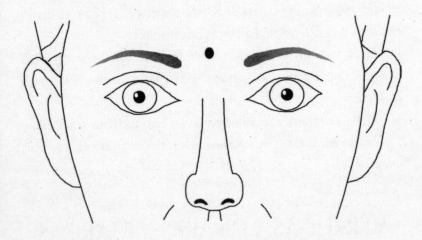

- Los lunares en la barbilla atraen éxito profesional.
- Todos los lunares escondidos en la parte frontal del cuerpo son buenos, mientras que los lunares en la parte de atrás indican una vida llena de problemas.
- Cicatrices, marcas de nacimiento, enrojecimientos y granitos se consideran desafortunados.

- Si aparece una cicatriz o marca de nacimiento ubicada en la posición de alguna edad, indica que se debe de tener cuidado en esa época de la vida.
- Algunos lunares pueden indicar buena fortuna.
- Los lunares para los chinos representan una fuerza interior por lo que lo ideal es que estén escondidos a la vista.
- Un lunar entre las cejas indica alta inteligencia.
- Un lunar entre los ojos indica que la persona logrará alta posición social.
- Un lunar en la orilla de la ceja indica viajes y actividad excesiva. Inestabilidad física.
- Un lunar en la orilla exterior del ojo habla de una persona romántica, sexy, atractiva, posesiva y adúltera.
- Un lunar debajo de los ojos, al centro, indica tristeza por problemas en el amor.
- Un lunar en la parte superior de la mejilla indica fuerza y poder, terquedad. Atrae enemigos.
- Un lunar en la parte baja de la mejilla indica cariño, fortuna y suerte en el matrimonio.
- Un lunar sobre el labio superior indica que la persona disfruta de la buena comida y de los placeres de la vida.
- Un lunar en la barbilla es característico de una persona colorida, parlanchina e inquieta.
- Lunares en la parte superior de la oreja indican inteligencia, en la parte media indica amor y afecto de los padres, en el lóbulo riqueza y buenos negocios.
- Un lunar en la punta de la nariz de un hombre lo hace atractivo y popular entre las mujeres. Problemas de dinero.

- Los lunares que se consideran conflictivos y negativos son los que se abomban o sobresalen de la piel como las verrugas.
- Un lunar en las mejillas debajo de los ojos indica que a la persona le robaran al novio o a la novia, incluso a la pareja.
- Un lunar al centro de la frente de una mujer significa que tendrá un matrimonio complicado.
- Un lunar al centro de la frente en hombres significa una carrera profesional que se trunca a edad temprana.
- Un lunar en el centro del puente de la nariz indica problemas de salud.
- Un lunar debajo del ojo evidencia a una persona que llora con facilidad.
- Un lunar en las líneas Fa Ling indica que la persona tendrá problemas para obtener reconocimiento profesional y social.
- Un lunar en la barbilla indica a una persona imprudente y metiche.
- Un lunar en el párpado indica una persona susceptible de robos y que depende de las cosas con facilidad.
- Un lunar cerca de la oreja, sobre los pómulos indica que la persona es excéntrica y rara.
- Un lunar en la sien indica que la persona tiene facilidad para atraer problemas legales.
- Un lunar en la oreja, por atrás, en el puente, indica que la persona es un buen hijo que se preocupa por sus padres y les presta atención.

- Un lunar a un lado de las fosas nasales hacia el Fa Ling, indica que la persona tiene capacidad para ahorrar.
- Un lunar ubicado en el lóbulo indica una persona lista e inteligente.
- Las pecas simbolizan personas amistosas y atractivas con un exceso de elemento fuego.
- Una peca o lunar rojo en el filtrum puede ser señal de que la persona tendrá hijos gemelos.
- Los granitos son señales de algún evento problemático por suceder acorde al área facial donde aparecen.
- Un granito en la línea de la sonrisa, alrededor de la boca, indica estrés en la relación con los padres o superiores.
- Un granito en las mejillas indica que los planes se están yendo por el rumbo equivocado y que hay que hacer ajustes.
- Un granito en la frente indica dificultades entre la persona y sus padres.
- Un granito cerca de los ojos indica discusiones o problemas con la pareja.
- Un granito en la nariz indica problemas digestivos y económicos.
- Un granito en el filtrum indica problemas en órganos sexuales.
- Un granito debajo del párpado inferior del ojo indica mala salud para el hijo, una pequeña infección o gripe se presentará a más tardar en quince días.
- Un granito en la punta de la nariz indica gastos excesivos e innecesarios, pérdida de dinero.

- Un lunar debajo del ojo, en el párpado izquierdo indica que hay que ponerle atención al hijo mayor.
- Marcas de piel seca sobre los ojos, en los párpados superiores, indica que el nivel de colesterol se encuentra elevado.
- Una peca en forma de mariposa en la mejilla indica que se debe de poner atención al hígado, cuidado con intoxicación por consumir alimentos marinos.
- Si en el párpado inferior derecho se presentan bolitas o erupciones tipo alergia indica que se pueden estar formando piedras en la vesícula.
- Venitas rojas en el entrecejo indica que se puede presentar un problema fuerte, en menos de un mes, relacionado con cuestiones legales.
- Un granito en la barbilla indica problemas con subordinados y empleados.
- Una verruga a la mitad de la garganta en el cuello indica que la persona puede morir debido a enfermedades de la garganta.
- Si se presentan manchas oscuras en los bordes exteriores de los ojos indican que la mujer, si es casada, está teniendo un romance extramarital.
- Un granito en la frente del lado derecho indica que hay que cuidar y poner atención a la salud de la madre; del lado izquierdo, del padre.
- Un granito en el borde exterior del ojo izquierdo indica que el marido necesita hacerse una revisión médica.
- Si hay una línea en el lóbulo de la oreja indica que la persona es adicta al trabajo.

❖ Si la parte superior de la oreja se torna grisácea con la piel seca indica que la persona necesita revisar sus riñones.

❖ Si la frente y las ojeras presentan un matiz grisáceo y la piel seca es señal de que se va a presentar una etapa difícil.

❖ Si la piel alrededor de los labios se torna grisácea indica que es urgente una revisión ginecológica.

❖ Color grisáceo en la quijada indica que hay que tener cuidado con el dinero y hacerse una revisión médica.

❖ La presencia de puntos negros en la nariz indica problemas económicos.

❖ Si un hombre tiene notoriamente más grande el ojo izquierdo indica que puede ser un hombre golpeador y violento.

HÁBITOS

Si la persona se muerde las uñas indica que no es feliz a causa de una situación externa pero no tiene la fortaleza interna para cambiar esa situación o dejarla a un lado. Indica a una persona demasiado obediente con problemas de autoestima, falta de concentración e impaciencia.

Si la persona se frota la barbilla indica que se encuentra atrapada en una situación difícil y no tiene a alguien cercano con quien platicarlo en confianza. Falta de valor y cambios de estado de ánimo.

Si la persona se frota la cabeza con los hombros indica que está atravesando un problema que parece no tener solución. Persona reservada, tímida, melancólica y pesimista.

Si la persona suena o mueve el pie indica que no está de acuerdo con su pareja pero no se atreve a expresarlo. Persona impaciente y envidiosa.

Si la persona suena o mueve los dedos indica que está molesta porque no logra sus metas. Persona fría y desconfiada.

Si la persona se toca y frota la nariz indica que está insatisfecha porque las cosas no están iniciando como se desea; tiene demasiados deseos por lograr. Es alguien que se asesora bien, es valiente y estresado.

Si la persona se muerde los labios indica que está desarrollando nuevas ideas y proyectos o está buscando la forma de obtener una meta.

Si la persona se frota las manos indica que está contenta porque ha logrado y obtenido algo sin confrontaciones. Persona honesta, seria y buena estratega.

Si la persona juega con los dedos indica que se concentra en un solo proyecto o aventura y no escucha la opinión de otras personas. Persona nerviosa, ignorante, arrogante y ególatra.

Si la persona se ríe constantemente indica que es insegura, impaciente, ególatra y necesitada de atención.

LA LENGUA

Este rasgo se emplea para comunicarnos. Una lengua pequeña y puntiaguda significa que la persona es fuerte en el uso de palabras, mientras que aquellos con lengua grande enfrentan problemas para expresarse correctamente.

La lengua roja indica una persona sana, si la lengua tiene matices negros indica que la persona no tiene un alto rango social ni un trabajo respetable. El color blanco en la lengua indica que está enferma.

Se dice que si la persona puede tocar la punta de la nariz con la lengua tiene reconocimiento y gran linaje. Poderosa como un rey o un duque.

Tres líneas paralelas marcadas en la lengua indican riqueza para la persona.

Si la lengua es corta es señal de pobreza.

Mian Xiang se terminó de imprimir en abril de 2008,
en Orsa y Asociados, S. A. de C. V., Chopo núm. 594A,
Col. Arenal, C.P. 02980, México, D. F.